SAÚDE
À FLOR
DA
PELE

ADRIANA VILARINHO

COM A ORGANIZAÇÃO DE
LÚCIA HELENA DE OLIVEIRA

SAÚDE À FLOR DA PELE

Cuidados, segredos e conselhos de uma das mais conhecidas dermatologistas do país

academia

Copyright © Adriana Vilarinho, 2022
Copyright © Editora Planeta do Brasil, 2022
Todos os direitos reservados.

Preparação: Roberta Pantoja
Revisão: Renato Ritto e Valquíria Matiolli
Diagramação e projeto gráfico: Negrito Produção Editorial
Capa: Fernanda Mello
Imagem de capa: prezent/iStock
Foto de capa: Marcia Fasoli/ Photo Diafragma

DADOS INTERNACIONAIS DE CATALOGAÇÃO NA PUBLICAÇÃO (CIP)
ANGÉLICA ILACQUA CRB-8/7057

Vilarinho, Adriana
 Saúde à flor da pele: cuidados, segredos e conselhos de uma das mais conhecidas dermatologistas do país / Adriana Vilarinho. – São Paulo: Planeta do Brasil, 2022.
 240 p.

 ISBN: 978-65-5535-732-5

 1. Dermatologia. 2. Saúde. I. Título.

22-1635   CDD 616.5

Índice para catálogo sistemático:
1. Dermatologia

 Ao escolher este livro, você está apoiando o manejo responsável das florestas do mundo

2022
Todos os direitos desta edição reservados à
Editora Planeta do Brasil Ltda.
Rua Bela Cintra, 986, 4º andar – Consolação
São Paulo – SP – 01415-002
www.planetadelivros.com.br
faleconosco@editoraplaneta.com.br

PREFÁCIO
Sob a flor da pele

Sob a flor da pele está o complexo contexto da existência. Repousa e viceja as dimensões aflitivas dos enfrentamentos, mas também os contextos que a serenidade já adotou e acalmou. Tudo esperando pelo momento de se tornar epifania, revelação que nos anuncia ao mundo.

As conexões entre o profundo e a superfície são inúmeras.

Existimos em estado de constantes interações, movidos por suturas existenciais que reagrupam corpo e alma.

O que fazemos à pele, fazemos também à alma.

É assim, movida por uma visão holística e abrangente, que Adriana Vilarinho exerce, com exímias qualidades, o seu ofício.

Adepta de uma dermatologia que ousa ultrapassar os limites da pele, reaproximando os conceitos de beleza e saúde, ela alia os tratamentos que oferece a uma natural experiência de autoconhecimento. Quem se cuida, se conhece. Adentra os labirintos que nos levam ao cerne do que somos.

Saúde à flor da pele é um registro generoso da prática que Adriana desenvolveu ao longo de sua carreira. Em um apanhado de informações técnicas e acessíveis, ela nos põe diante da oportunidade de adentrar e entender um pouco mais sobre as pontes que a pele nos permite ultrapassar.

Padre Fábio de Melo

SUMÁRIO

1 Um novo olhar sobre a nossa pele
9

2 De dentro para fora
19

7 Os vários tipos
61

8 Limpar, tonificar, hidratar...
67

9 A delicadeza do olhar
75

10 Acne: pontos críticos
85

15 Manchas, pintas e sardas
129

16 Os avanços no câncer de pele
139

17 Quando outros cânceres mexem com a sua pele
147

18 Uma lista de possíveis problemas
155

23 Os cuidados com as mãos
197

24 Cabelos saudáveis
207

25 Pelos, fora!
221

26 Primeiros socorros
227

3
De fora
para dentro
29

4
O tempo passa
no espelho...
37

5
Bem
nutrida
49

6
Dois hábitos
essenciais
57

11
A pele à espera
de um bebê
95

12
Estria:
estica, puxa
e arrebenta
105

13
A lembrança
das cicatrizes
111

14
Sob
o sol
117

19
A luz de uma
nova era
167

20
A toxina
antirrugas
173

21
Preencher na
medida certa
181

22
Os novos
segredos dos
cosméticos
anti-idade
187

27
Minhas receitas
231

Agradecimentos
239

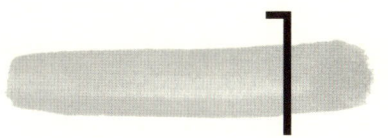

1
Um novo olhar sobre a nossa pele

Na etapa final da faculdade de Medicina, quando decidi qual seria a minha especialização, escolhi Dermatologia porque havia muito tempo que já pensava que ela se transformaria em uma espécie de ponto de encontro de todas as outras especialidades. Minha intuição estava certa, embora apenas na última década isso tenha ficado bem claro até mesmo nos meios acadêmicos. Afinal, todas as doenças interferem na pele, e qualquer coisa que aconteça com ela, por sua vez, pode afetar outros órgãos.

Portanto, se prestar um pouco de atenção, verá que a sua pele dá pistas de tudo o que está se passando dentro de você e revela como você anda levando a vida. Ela é um espelho do seu estado geral de saúde e, ao mesmo tempo, uma oportunidade de reflexão sobre como estão os seus hábitos, as suas emoções, o ambiente ao seu redor e a qualidade da sua rotina.

A ciência tem boas explicações para isso. Uma delas, talvez a principal, é o que chamamos de eixo neuro--imuno-endócrino. Esse nome complicado significa que tudo o que acontece no sistema nervoso interfere, de um jeito ou de outro, no funcionamento das glândulas e do sistema imunológico. E vice-versa. Um depende do outro, e eu diria que a pele está entre eles como uma parada obrigatória desse grande sistema de interligação.

Por isso, não posso tratar um paciente que me procura queixando-se de determinado problema como se ele tivesse, por exemplo, vitiligo e ponto, como se tudo começasse e terminasse ali, de forma isolada, na superfície cutânea. Preciso, o tempo inteiro, fazer conexões. Tentar conhecer mais a bagagem genética do paciente, perguntar sobre a saúde de sua família, investigar se ele apresenta outras doenças autoimunes, indagar como é o ambiente em que vive, analisar profundamente o seu estilo de vida e considerar, inclusive, o lado emocional, que sempre pesa bastante.

Para dar outro exemplo: se uma pessoa chega ao meu consultório reclamando de micoses ou infecções bacterianas frequentes, como impetigo ou erisipela, eu devo, primeiramente, afastar a possibilidade de ela ter diabetes, já que o excesso de açúcar no sangue favorece essas doenças infecciosas, que se repetem. Um dermatologista não pode deixar uma suspeita dessas passar em branco. Aliás, se o paciente é mesmo diabético e já sabia disso, as questões que o levaram a procurar um especialista em pele, como eu, no fundo revelam que ele não anda controlando a glicemia direito. Então, preciso encaminhá-lo a um colega capaz de acompanhar mais de perto essa doença. E por aí vai...

De olho na prevenção, é importante ainda que cada um conheça as características da sua pele não só para perceber alterações como também para evitar uma série de problemas. Dá para saber de antemão que, se ela é mais ressecada, há um risco maior de certas alergias e eczemas. Ciente disso, é possível buscar orientação para evitar esse tipo de complicação.

Já quem tem uma doença autoimune é mais suscetível a desenvolver outros problemas. Vou citar a alopecia frontal fibrosante, uma condição que atinge mulheres acima dos 40 anos e que foi classificada muito recentemente. Nela, a área dos cabelos começa a diminuir e a sensação é de que a testa está aumentando de tamanho.

Antes se acreditava que essa alopecia seria causada pelo uso constante de filtro solar e outros cosméticos que acabavam sendo usados no rosto até bem perto da linha que marca o início do couro cabeludo. No entanto, hoje se sabe que o sistema imunológico está tremendamente envolvido e, para que a queda de cabelos não avance, é preciso controlar as reações das células de defesa e não ficar trocando de cremes e loções.

Os dermatologistas, enfim, compreendem cada vez mais esses elos e agora se veem diante de enormes desafios. Um levantamento recente da Academia Americana de Dermatologia constata que, só nos Estados Unidos, há um verdadeiro *boom* de doenças de pele, que atingem mais de 85 milhões de indivíduos de todas as idades. Os especialistas apontam que essa prevalência é provocada por uma série de fatores bastante associados ao dia a dia moderno: falta de sono, uso de determinados medicamentos, mudanças climáticas, entre outros. Adiante, vou esmiuçar um pouco mais cada um deles para que você reflita sobre aquilo que pode estar afetando a sua pele.

Há, ainda, situações completamente novas para nós, médicos. Nas salas de espera, encontramos mulheres que fazem reposição hormonal há vários anos, mas só agora começamos a observá-las cientes dos efeitos do tratamento a longo prazo, assim como é novidade examinar jovens que fazem uso de hormônios a pretexto de melhorar o desempenho muscular. Costumo brincar que não existe café de graça: tudo, de um jeito ou de outro, influencia a saúde da pele, e às vezes ela reclama.

Em 2018, no congresso da mesma academia citada anteriormente, houve um bloco inteiro discutindo como cuidar do público LGBTQIAP+, em especial dos transgêneros, que fazem uso de uma grande carga de hormônios para fazer a transição de gênero. É claro que um tratamento desses altera a espessura do tecido cutâneo, o odor, a quantidade de gordura, a distribuição de pelos, as características das unhas e muito mais. Precisamos estar abertos para entender o que deveria mudar na depilação desse público, que problemas podem surgir com o tempo, como deixar a pele saudável. Sem julgamentos. É dever do médico garantir as melhores condições de saúde para todos e, no caso do dermatologista, seu trabalho tem uma relação estreita com a autoestima dos pacientes.

Aliás, talvez você esteja se perguntando: e a beleza? Pois eu lhe asseguro que, independentemente do padrão estético de cada um, no fundo o que consideramos uma pele bonita é uma pele saudável. Cabelos lindos são cabelos saudáveis. Unhas bem cuidadas são unhas saudáveis. Na minha área, não dá para separar a beleza da saúde. Do mesmo modo, não dá para separar – ao menos do meu ponto de vista – a saúde do equilíbrio.

Os tratamentos estéticos devem seguir esse conceito, buscando sempre um resultado que seja equilibrado. Nada em excesso é bom, nem belo. Ainda vou falar muito disso nas páginas seguintes. Por enquanto, quero apenas que você se sensibilize e perceba a sua pele como o reflexo de tudo o que você é, faz e vive. Aliás, mais do que um autoexame diante do espelho, essa análise mais ampla é um excelente começo.

Da mesma maneira, é importante, para início de conversa, que você entenda um pouco mais sobre esse órgão vital que dá contorno e relevo ao nosso corpo. A pele amortece choques, que poderiam nos estilhaçar por dentro. É uma barreira e tanto. Não deixa que escapem do interior do seu corpo a água, os nutrientes e outras substâncias essenciais.

Ao mesmo tempo, impede que a radiação solar alcance os órgãos internos, barrando-a com seu pigmento, que é a melanina – acredite, nossas vísceras não suportariam um único banho de sol. E, com índice de sucesso altíssimo, ela não deixa que microrganismos nocivos, presentes em todos os cantos onde nos encostamos, invadam o organismo.

Também ajuda a manter a nossa temperatura ideal, em torno dos 36,5 graus Celsius. Se essa temperatura sobe – porque faz um dia quente ou porque você está se movimentando –, os inúmeros vasos em sua superfície se enchem ainda mais de sangue para dissipar o calor. Por isso, ficamos vermelhos durante o exercício físico. As glândulas sudoríparas completam o serviço derramando um líquido à base de sais, o suor. Quando ele se evapora, provoca um ligeiro resfriamento. Para você ter ideia, um adulto produz de meio a 2 litros de suor todos os dias.

No frio, as reações são opostas: a produção de suor despenca e a circulação local diminui. Por isso, ficamos mais pálidos ao sair na rua em um dia gélido. Minúsculos músculos ligados aos pelos espalhados pelo corpo irão deixá-los eriçados, em uma reação corporal primitiva para evitar que mais calor se dissipe. É o tipo de estratégia que, no nosso caso, nem adianta muito. Nessas horas, o que tem papel decisivo é a terceira e última camada da pele, formada por células de gordura que funcionam como um isolante térmico.

E, claro, essa camada é também uma bela reserva de energia, se um dia faltar alimento para o corpo. Infelizmente, o

13

que vemos com a explosão dos casos de sobrepeso e obesidade é uma terceira camada cada vez mais espessa de gordura subcutânea.

Por fim, ninguém deve se esquecer de que a pele é o maior órgão dos sentidos. É possível sobreviver sem ouvir ou enxergar, mas não dá para alguém viver sem as informações captadas pela pele, já pensou nisso? Em regiões mais sensíveis, como na ponta dos dedos, você chega a ter 2 mil terminações nervosas por centímetro quadrado. São receptores que mandam ao cérebro as sensações de tato, pressão, temperatura e dor.

Agora que já lhe dei uma noção de suas principais funções, seria bom que também entendesse um pouco sobre as três camadas que formam esse órgão, até para que se familiarize com termos que, provavelmente, citarei nos capítulos seguintes.

Epiderme

É a mais externa das camadas. Pode ter a espessura delicadíssima de 0,04 milímetro, nas pálpebras, ou alcançar 1,5 milímetro, que é o caso na região do calcanhar. Mas tudo o que você enxerga da própria pele e da dos outros são células mortas. É que a própria epiderme se divide em camadas. As células vivas nascem na **camada basal ou germinativa**, a mais interna delas. Ali, a produção chega a ser de 1.250 células novinhas por centímetro quadrado todos os dias. Mal nascem, elas começam a subir para a superfície, ganhando cada vez mais queratina, uma proteína impermeável que, aos poucos, provoca a sua morte, de modo que, quando finalmente alcançam a **camada córnea**, a mais externa da epiderme, as células já estão mortas e achatadas, misturadas à água e ao sebo, criando uma película protetora.

Os famosos **melanócitos**, que produzem o pigmento melanina, ficam nas profundezas da camada basal, representando cerca de 5% de suas células. Essa proporção é a mesma em todas as raças, ao menos em indivíduos saudáveis. Não é a quantidade de melanócitos que cria os diversos tons de pele, mas a quantidade e a qualidade do pigmento que conseguem produzir, algo determinado pelos genes. E vale lembrar que, mais do que colorir, a função da melanina é nos proteger dos raios ultravioleta.

Derme

Com espessura de 1 a 4 milímetros conforme a região do corpo, localizada logo abaixo da derme, ela é uma espécie de centro de operações. Concentra as fibras que sustentam todo o tecido cutâneo, as terminações nervosas, os vasos sanguíneos e os linfáticos. Sem contar os folículos, de onde nascem os pelos, os músculos microscópicos capazes de arrepiá-los, as glândulas sudoríparas e as sebáceas.

Tudo isso se encontra mergulhado em uma espécie de gel formado de água, proteínas e outras moléculas. É dessa gelatina, a chamada **substância fundamental**, que as células retiram oxigênio, líquido e nutrientes. Depois, despejam nela as toxinas que serão eliminadas pelos vasos linfáticos.

Qualquer alteração na substância fundamental muda, também, a qualidade da pele. Vou dar um exemplo: se algum distúrbio hormonal atrapalha a circulação na região, esse gel pode endurecer e deixar de manter as fibras em bom estado.

As mais famosas são as de **colágeno**. Cada uma delas tem, quando muito, 1 milímetro de largura e, no entanto, seria capaz de sustentar quase 20 quilos! O colágeno representa 75% do peso da sua derme e é responsável pelo tônus e pela firmeza que a gente nota (ou quer notar) no espelho.

Existem ainda as fibras de **elastina**, que literalmente amarram a derme à epiderme. E, como pequenos elásticos, fazem a pele voltar à posição original se, por acaso, é distendida. Caso não façam esse serviço, o resultado são estrias e bastante flacidez. Finalmente, ainda falando de fibras, há a **reticulina**, que se entrelaça às outras duas, reforçando toda a rede de sustentação.

Hipoderme

Também conhecida por **camada subcutânea**, é a mais profunda de todas e reúne as células adiposas, recheadas de gordura. Como já mencionei, elas funcionam como isolantes térmicos e são as grandes responsáveis por amortecer impactos. Logicamente, a hipoderme pode ser mais ou menos espessa conforme o índice de gordura corporal.

> **Minha Dica**
>
> *O segredo é se observar*. Quando a gente fala em autoexame, todo mundo logo pensa em procurar pintas suspeitas para evitar um câncer de pele. Isso também é importantíssimo, claro – como eu poderia discordar? Mas, no dia a dia, a pele nos manda inúmeras mensagens valiosas. Não as despreze. Pode ser que fique mais oleosa ou mais ressecada de uma hora para outra. Um calcanhar, que sempre foi lisinho, de repente se torna grosso, áspero. Ou são os cabelos que se mostram enfraquecidos. Quem sabe uma unha que fica ondulada ou manchada. Talvez as olheiras que passam a ficar mais marcadas. Um rosto que parece estar perdendo o viço

de forma repentina. Enfim, cada mudança é um recado de algo que você precisa fazer pela sua pele, pela sua beleza, mas principalmente pelo equilíbrio do seu estilo de vida no sentido mais amplo. Aproveite e ouça o que sua pele tem a lhe dizer.

2

De dentro para fora

A pele é a fronteira entre dois mundos – o interior do corpo humano e o ambiente externo. E é influenciada o tempo inteiro por tudo o que está acontecendo tanto do lado de dentro quanto do lado de fora. Vamos olhar, primeiro, para o lado de dentro. Ele, pela minha experiência, costuma ser o mais difícil. Afinal, muitas vezes é mais simples eu afirmar que uma mancha foi causada pelo excesso de sol do que provar que determinada reação foi provocada por um estresse exacerbado, por exemplo.

Sem contar que, no primeiro caso, posso evitar que o rosto fique manchado ao prescrever um filtro solar, resolvendo a situação. Já se a pessoa está estressada ou se tem qualquer problema na intimidade do seu organismo, talvez a queixa no meu consultório só seja resolvida se ela também for acompanhada por profissionais de outras especialidades. E, principalmente, se ela tiver disposição para ajustar de verdade o seu estilo de vida, o que é sempre muito desafiador.

Ora, a gente sabe que o ser humano prefere acreditar em soluções mágicas trazidas em um pote de creme. Mas não é bem assim, como tento explicar em cada consulta, com toda a calma do mundo para que possa ser entendida. Às vezes, só de olhar para alguém que acaba de se sentar à minha frente começo a suspeitar de problemas pulmonares, por exemplo. Todo dermatologista experiente sabe que doenças oriundas dos pulmões podem alterar o tom da pele.

Será, então, que eu posso indicar tratamentos para melhorar a aparência da pele se aquele paciente chega querendo, digamos, ficar mais bonito sem nem saber direito o que o está incomodando tanto? Claro que sim! Mas se, na conversa, eu tiver uma pista de que minha suspeita sobre problemas pulmonares estava certa, precisarei encaminhá-lo ao pneumologista – pelo bem dos pulmões e da pele também! E situações semelhantes a essa acontecem com diferentes condições de saúde. Fazem parte do meu cotidiano.

A seguir, dou alguns exemplos de problemas muito frequentes que se refletem em queixas ao dermatologista para que você, mesmo sem ter nada disso, comece a ficar mais e mais atento às questões de pele.

Estresse

Paradoxalmente, em um mundo tão moderno nós ainda vivemos internamente como homens primitivos, fugindo da fera para não virarmos caça em vez de caçadores. A ansiedade cada vez mais nas alturas, o excesso de preocupações com o trabalho e com a família, a falta de tempo para o lazer, o medo da violência, o corre-corre para dar conta das inúmeras tarefas, o agravante de estarmos sempre conectados e à mercê de uma enxurrada de notícias – tudo isso faz o nosso sistema nervoso reagir como se estivéssemos diante da ameaça de um leão pronto para nos abocanhar. A única preocupação é escapar das presas dele e sobreviver.

Então, já começa por aí: a circulação será mais direcionada aos músculos, para que os braços tenham força para lutar ou para que as pernas possam correr do predador, ainda que esse perigo seja totalmente imaginário. Sim, imaginário, mas não importa o tipo de situação difícil – se é o cansaço da vida profissional, uma crise familiar ou o que for –, a fisiologia será aquela mesma que surgiu com os nossos antepassados das cavernas para escapar de um animal feroz.

Nessas horas, os vasos periféricos, aqueles na superfície do corpo, se contraem, desviando o sangue para a musculatura. E a pele, que deixa de ser prioridade para o sistema nervoso – o qual vislumbra um caso de vida ou morte –, fica menos abastecida de nutrientes e oxigênio. É complicado eu afirmar até que ponto isso aceleraria o envelhecimento cutâneo, mas acredito que o estresse conta bastante, sim. Até porque tem mais um aspecto: os músculos faciais sempre tensos favorecem as marcas de expressão.

E não é só isso. Na gangorra das nossas emoções, enquanto o estresse sobe, os níveis de hormônio do crescimento, liberados pela tireoide, tendem a cair. E, apesar do nome, esse hormônio não é secretado apenas para que crianças e adolescentes fiquem mais altos, costumo brincar. Ao longo da vida, ele é o responsável pela renovação da pele dia após dia. Portanto, fica simples para você entender por que uma pessoa termina um dia estafante com aquele ar visivelmente abatido. Dá pra ver o cansaço na cara. Ou melhor, na pele.

O estresse abala, ainda, a nossa capacidade de defesa contra doenças. Sabemos disso: períodos de esgotamento geralmente são acompanhados de gripes, resfriados e, sinto dizer, infecções de pele também, claro. Ela se torna fragilizada em muitos sentidos. No cérebro – mais especificamente na região do hipotálamo e na pituitária –, as situações estressantes desencadeiam comandos para que o par de glândulas suprarrenais, logo acima dos rins, produza mais e mais cortisol. Esse hormônio, por sua vez, provoca um aumento na produção das glândulas sebáceas.

É por isso que algumas pessoas, quando se sentem muito nervosas às vésperas de eventos importantes, acordam com uma espinha bem no rosto. Não é mero azar: o cortisol favorece a acne não só porque aumenta a oleosidade, mas também porque comprovadamente induz a liberação de substâncias relacionadas à inflamação. Aliás, por isso mesmo, períodos de estresse pioram quadros de qualquer doença inflamatória na pele, como a rosácea e a psoríase.

Estima-se que mais de 40% das manifestações cutâneas estejam associadas a influências psíquicas, a saber: estresse acompanhado de ansiedade, depressão, euforia ou transtorno bipolar. Essa é a porcentagem alardeada nos meios acadêmicos. Se é isso mesmo, nunca saberemos com exatidão, mas não tenho a menor dúvida de que como você se sente tem um grande impacto na sua imagem no espelho.

Dores pelo corpo

Quando falo em estresse, noto que as pessoas logo pensam em questões emocionais. No entanto, a gente precisa lembrar que qualquer condição de saúde capaz de provocar dores crônicas também pode levar à produção de níveis exagerados de cortisol e das tais moléculas inflamatórias despejadas na circulação, que têm impacto direto na pele.

Sim, sentir dor quase o tempo todo é estressante demais, sem contar que muitas vezes o problema que está causando o incômodo – um reumatismo, por exemplo – tem, ele próprio, uma inflamação por trás dessa condição, elevando a quantidade de substâncias que acabam irritando cada vez mais a pele. Daí que eu posso garantir:

no final das contas, se alguma parte do corpo constantemente dói, a sua pele sofre junto.

Problemas digestivos

É claro que, se você tem qualquer dificuldade de digestão, é possível que não esteja se alimentando bem nem aproveitando direito alguns nutrientes que são fundamentais para a saúde da pele, como as vitaminas A e E, essenciais para a sua reparação. Sem contar a falta que pode fazer uma série de bioativos presentes nos vegetais. Afinal, eles são substâncias que ajudam a combater os radicais livres, desacelerando o processo natural de envelhecimento.

Deixar de ter uma nutrição adequada, sobre a qual falarei com mais detalhes adiante, sempre atrapalha. E esse é um problema que acredito estar aumentando dia após dia. Aliás, não é só a ausência de nutrientes que pesa negativamente: a pele pode reagir mal ao acúmulo de toxinas no intestino de quem sofre de prisão de ventre.

Por falar em intestino, a dieta repleta de alimentos processados no lugar de frutas, verduras, legumes e cereais integrais, entre outros itens mais saudáveis, provoca um desequilíbrio nas bactérias que habitam esse órgão, interferindo principalmente nas doenças autoimunes e inflamatórias. Já foram publicados, inclusive, diversos estudos que relacionam a microbiota intestinal à saúde da pele.

O fígado é outro que, se não estiver funcionando bem, provoca alterações visíveis na aparência. Em casos de hepatite ou cirrose, a pele termina com uma coloração amarelada, tingida por uma substância, a bilirrubina, que as células hepáticas adoecidas não dão conta de eliminar.

Há ainda, atualmente, um *boom* de pessoas que chegam ao meu consultório alegando que são intolerantes a determinados alimentos. Se quer saber minha opinião, o estresse também pode ter a ver com isso. Mas entenda que se trata de mais um tipo de situação que precisa ser examinada com muita calma e paciência por colegas médicos de outras especialidades. Digo isso porque existe muita gente que simplesmente cisma com a ideia de que tem uma intolerância e, em um ímpeto, corta grupos alimentares inteiros sem a certeza do diagnóstico, fazendo com que a pele se ressinta de eventuais deficiências nutricionais que podem ter sido provocadas à toa.

Já vi crianças que pararam de consumir leite e seus derivados porque os pais colocaram na cabeça que esses alimentos lhes faziam mal. Pode ser que sim, mas é preciso confirmar se existe mesmo uma intolerância, ou seja, se há, de fato, uma incapacidade do organismo para digerir determinada substância existente em um grupo de alimentos, como a lactose presente no leite e seus derivados.

Aliás, se por um lado existem prejuízos quando um alimento é riscado do cardápio sem motivo, por outro, sempre que há realmente a ausência de uma enzima digestiva para dar conta de algo, a pele expressa essa deficiência. Existem pessoas que não se dão bem quando comem gordura porque, em seu organismo, não há quantidade suficiente da enzima lipase, que quebraria essa molécula para ser absorvida no intestino. E esses pacientes, sem que o organismo possa tirar proveito das gorduras da alimentação, costumam apresentar uma pele bem mais seca.

Outra explosão é a do número de indivíduos com alergias alimentares, que – atenção! – não são a mesma coisa que a intolerância. Portanto, nem sequer posso dizer que sejam exatamente problemas digestivos, mas, sim, imunológicos. As alergias são uma reação do sistema imune a uma proteína existente naturalmente em determinado alimento ou a substâncias que são estranhas – no sentido de terem sido artificialmente adicionadas à comida –, como certos corantes encontrados em produtos industrializados. E o fato é que essas alergias alimentares costumam se manifestar na pele.

Diabetes

Parte dos milhões de brasileiros com diabetes relaciona com facilidade a doença crônica com riscos para os olhos e para o coração, quando a glicemia – ou seja, a quantidade de glicose no sangue – não está bem controlada. No entanto, a superdosagem de açúcar na corrente sanguínea também pode ocasionar uma série de problemas cutâneos. É fácil de entender: quando a glicose nas alturas afeta o sistema de vasos do organismo, aqueles que são menores, como os que abastecem a pele, são os primeiros a serem muito prejudicados.

O sistema imune, então, deixa de atuar direito. Como mencionei no capítulo anterior, os diabéticos são mais suscetíveis a infecções de pele e, se elas forem recorrentes, há algo de errado com o controle glicêmico. Com os vasinhos prejudicados pela glicemia descompensada, as células de defesa tampouco conseguem acessar com rapidez a região onde ocorreu um ferimento. E, desse jeito, cresce a ameaça de qualquer machucado servir de brecha para bactérias e outros agentes nocivos. Aliás, independentemente de o indivíduo se machucar ou não, os fungos se aproveitam da situação, e a gente nota, no consultório, que o portador de diabetes pode ter mais micoses e frieiras do que a média da população.

Os processos de cicatrização também tendem a ficar mais lentos. Já os nervos vão perdendo a sensibilidade, não só porque deixam de receber sangue suficiente, mas também porque a glicose concentrada por si só já é bastante tóxica para eles. Quando isso começa a acontecer, o paciente pode experimentar uma coceira generalizada ou até mesmo uma sensação de pequenas agulhadas. E a perda de sensibilidade que surge logo na sequência é bem perigosa: a pessoa pode se ferir e não sentir absolutamente nada, enquanto a lesão vai ficando cada vez mais infeccionada. Uma unha encravada, em casos assim, pode se tornar uma ferida purulenta, sob ameaça, em casos extremos, de gangrena.

Para completar, a falta ou a insuficiência de insulina – o hormônio produzido pelo pâncreas que deveria fazer o açúcar entrar nas células – afeta o crescimento de células da pele chamadas queratinócitos, resultando em perda de espessura e elasticidade, como se fosse muitos anos mais velha. Isso tudo, evidentemente, acontece só quando o portador de diabetes não se cuida.

Outros problemas hormonais

O diabetes é um problema endocrinológico. E existem várias outras doenças relacionadas ao funcionamento das glândulas que também interferem na pele – ousaria até dizer que todas elas impactam de alguma maneira o tecido cutâneo. Um bom exemplo é o hipotireoidismo, capaz de deixá-lo bastante seco. Um dos sintomas que logo noto em quem tem esse distúrbio na tireoide é o calcanhar extremamente grosso.

Outro problema endócrino que deixa sinais na pele – e que está se tornando mais e mais frequente – é a síndrome dos ovários policísticos ou SOP, que, na minha opinião, também está bastante associada ao estresse. Os cistos nos ovários provocam um aumento dos níveis de testosterona, que seria o hormônio sexual masculino, no organismo da mulher. Essa substância, por sua vez, fará aumentar os pelos pelo corpo, ao mesmo tempo que, na cabeça, os fios podem se tornar mais raros, surgindo algumas falhas no couro cabeludo, em geral entradas no alto da testa, como aquelas que os homens podem apresentar na meia-idade.

A testosterona ainda aumenta a oleosidade. Por isso, uma das principais consequências da SOP é, sem dúvida, a acne. E eu diria que se trata de uma acne diferente, porque as lesões ou espinhas se concentram na região da mandíbula, em vez de se espalharem mais pela zona T, formada pela testa, pelo nariz e pelo queixo. Então, se estou diante de uma adolescente com essa caraterística, ou seja, com espinhas distribuídas por toda a mandíbula, ou se estou na frente de uma mulher que, apesar de adulta, apresenta acne tardia, logo desconfio de SOP. E, para tirar qualquer dúvida, peço dosagens hormonais e uma ultrassonografia dos ovários. Claro, é fundamental que ela seja também acompanhada pelo ginecologista, para que juntos possamos resolver essa acne.

São apenas exemplos. Quando falamos em hormônios, devemos ter clareza de que, se estiverem a mais ou a menos, essa disfunção provavelmente irá se traduzir em uma queixa para o dermatologista.

Obesidade

A pele de quem está acima do peso costuma se tornar mais oleosa. A secreção das glândulas sebáceas é mais intensa, daí que o risco de proliferação de micróbios é maior. A gordura corporal, por sua vez, forma uma espécie de isolante térmico que dificulta a troca de calor com o ambiente e, para compensar, a pele derrama mais suor. O problema é que o sebo e o suor, juntos, costumam se acumular nas dobrinhas do corpo – os famosos pneus –, surgindo assaduras em regiões como a virilha e até mesmo, no caso das mulheres, na área logo abaixo do sutiã.

No caso dos pacientes que se submetem à cirurgia bariátrica, a redução do estômago, que muitas vezes envolve uma porção do intestino também, diminui a área de absorção de nutrientes como o zinco. Se houver deficiência desse mineral nesses pacientes, unhas e cabelos se tornam enfraquecidos. Também noto uma pele mais seca e, talvez, até ligeiramente mais esbranquiçada. Nós sabemos que esses pacientes operados irão precisar de suplementação pela vida toda. Resta ao dermatologista, caso a pele apresente algum problema, contribuir com os colegas de outras especialidades para a avaliação de eventuais ajustes na indicação desses suplementos.

> **Minha Dica**
>
> *Aproveite a consulta com o dermatologista e procure falar de tudo.* Não deixe de avisá-lo, por exemplo, se teve uma crise de estresse ou um quadro de depressão recente. Geralmente, as pessoas nos procuram porque já se sentem um pouco para cima e querem até elevar ainda mais o astral. No entanto, mesmo de olho em um futuro mais feliz, relatar que você andou triste e angustiado é importante para que o dermatologista acerte no diagnóstico e faça a melhor prescrição de tratamento possível.
>
> O mesmo vale para problemas digestivos, endocrinológicos, doenças que provocam dores crônicas, infecções recorrentes, alergias. Acredite: tudo conta para entender qualquer problema de pele e para prevenir outros. E, finalmente, não se espante se o dermatologista pedir para você visitar um colega de outra especialidade. Confie em um profissional que age assim: como a pele reflete tudo, isso é mais um sinal de que você está sendo atendido por um ótimo médico.

3

De fora para dentro

Assim como dá sinais do que está se passando dentro de nós, a pele é o escudo que defende o organismo de uma série de fatores externos. Só que, frequentemente, ao fazer isso, ela própria sai prejudicada. Não estou nem falando de materiais ou substâncias que irritam a pele de alguns indivíduos só de encostar. Estou me referindo a fatores presentes na vida de todos nós. A radiação solar é o mais óbvio deles.

Se, por um lado, tomar um pouco de sol todos os dias é importante para a saúde, estimulando a pele a produzir vitamina D, o excesso de radiação solar faz muito mal. Mas então pergunto: como nós poderíamos escapar desse excesso? Quando colocamos os pés para fora de casa, isso já é praticamente impossível. O sol de hoje é muito mais intenso do que o do passado, devido ao buraco na camada de ozônio que, antes, impedia boa parte dos raios ultravioleta de alcançar a superfície da Terra.

O índice de radiação ultravioleta (IUV) vem atingindo valores preocupantes. Em cidades como São Paulo e Rio de Janeiro, por exemplo, chega a 14 em determinados horários nos dias de verão. O IUV seguro seria entre 3 e 5, para você ter uma ideia. Ou seja, atualmente, sair na rua em um dia ensolarado é bem diferente do que era passear sob um céu azul há algumas décadas. Por isso, a pele precisa estar muito mais bem protegida.

Quanto mais prolongada a exposição ou quanto mais intensa a radiação ultravioleta que bate na nossa pele – e, aí, mesmo que por um período curto –, mais ela produz radicais livres, como uma espécie de reação. Essas moléculas estão por trás do envelhecimento. É por isso que tomar sol sem qualquer cuidado favorece o aparecimento de manchas e rugas. Mas esse efeito é menos importante perto de outra ameaça, que sem dúvida é bem mais importante: a de desenvolver um câncer.

Os tumores de pele representam cerca de 32% dos casos de câncer no Brasil. Para você entender de um jeito simples, eu diria que eles surgem porque as células do nosso organismo, ao envelhecerem, ficam mais sujeitas a fazer cópias erradas de si. Como o sol acelera o envelhecimento, surge a oportunidade de aparecer uma célula com erro, isto é, maligna.

Existe, ainda, a questão das temperaturas cada vez mais elevadas por causa das mudanças climáticas, e o calor pode ser uma agressão à parte. A pele sofre no forno que as nossas cidades estão virando. Ela fica mais oleosa, acumula mais sujeira e, se o tempo estiver úmido ainda por cima, aí mesmo é que os poros se abrem, como se estivessem tomando um banho de vapor. Então, qualquer poluente no ar é absorvido com tremenda facilidade. Aliás, há trabalhos que mostram que a radiação solar e o calor aumentam a agressão dos poluentes na atmosfera.

Não à toa. O calor, além de abrir os poros, dilata os vasos. Prova disso é o fato que ficamos mais corados quando os termômetros sobem. O tom vermelho indica a chegada do sangue à superfície na tentativa de resfriar o corpo. Só que essa maior circulação na pele, no caso, também favorecerá a absorção de toxinas presentes no ar das grandes cidades, como as que saem pelos escapamentos dos carros.

Há evidências de que a poluição agrava quadros de dermatite atópica e eczemas, piora manchas e acelera o aparecimento de rugas. Aliás, vale dizer que os poluentes fazem estragos dos dois lados. Se, externamente, eles se depositam sobre a pele e formam uma verdadeira capa de sujeira, uma vez que são absorvidos pela respiração, eles levam o organismo a formar doses extras de radicais livres. E precisamos ainda nos lembrar dos pulmões expostos a gases estranhos e partículas de todo tipo: a saúde deles deveria ser sagrada para quem deseja ter uma boa pele.

Outra fumaça bastante agressiva, claro, é a do cigarro. Além das toxinas inaladas gerarem mais e mais radicais livres por todo o organismo, a nicotina é um potente constritor dos vasos. E esse efeito potencializa os danos do tabagismo ao tecido cutâneo. É que, contraídos, os vasinhos dificultam o abastecimento de oxigênio e de nutrientes na pele. As fibras elásticas se ressentem dessa carência e a síntese de colágeno diminui. Daí, o aparecimento das marcas de expressão é inevitável. O couro cabeludo também não escapa dessa redução do aporte sanguíneo, que pode resultar em fios opacos e quebradiços.

Tudo isso sem contar que o rosto do fumante fica, entre uma tragada e outra, dentro de uma nuvem de substâncias nocivas. O alcatrão presente na fumaceira pode deixar as unhas e a face com uma coloração mais amarelada. Mas vale lembrar que não é muito diferente com quem está por perto, mesmo que essa pessoa não fume. Na verdade, a pele dos fumantes passivos também sai no prejuízo, porque está sempre exposta às baforadas alheias.

Agora preciso falar sobre o outro extremo em matéria de clima: frio demais também não é bom. Eu diria que a pele é exigente e gosta de temperaturas amenas. Ainda mais em algumas regiões brasileiras, onde o inverno é sinônimo de dias mais secos, fazendo com que a pele perca umidade para a atmosfera.

É pior ainda quando venta muito – aliás, independentemente da temperatura, quem mora em lugares assim deve redobrar o cuidado com a hidratação. O tempo mais seco e frio contribui para o que chamamos de desnaturação das proteínas, isto é, a alteração do formato tridimensional dessas moléculas. Quando isso acontece, a região fica esbranquiçada. As áreas do corpo que merecem mais cuidados por estarem mais sujeitas a isso são cotovelos e joelhos, que já possuem, por natureza, menos glândulas produtoras de suor e de sebo para protegê-las.

Se a temperatura externa é tão importante, é fácil deduzir que é errado tomar banhos muito quentes e longos no inverno. Além de existir toda a questão ecológica, o calor da água seguramente irá contribuir para o ressecamento e até mesmo para o aparecimento de áreas avermelhadas, por vezes elevadas e com prurido, que conhecemos como eczemas.

O uso de sabonetes muito agressivos, óbvio, só agrava a situação. O certo é você tomar banhos mornos e que durem, no máximo, 10 minutos – e olhe lá! Mas qualquer que seja a duração, especialmente se o clima estiver frio e seco, é importante passar um hidratante corporal em seguida, porque a água aquecida e o sabonete retiram parte da proteção natural da pele, que pode ser restaurada com uma boa loção.

Certos tratamentos de saúde também devem ser considerados fatores externos capazes de afetar a pele – como a químio e a radioterapia para tratar um câncer –, que provocam desidratação e uma enorme sensibilidade ao sol. Por isso, sempre digo aos pacientes que enfrentam um tumor que eles precisam beber muito mais água do que o habitual e se protegerem em dobro da luz solar. Mas há remédios usados em outras condições de saúde que também alteram as células cutâneas.

Vamos combinar que, hoje em dia, vivemos a era da supermedicação: todo mundo parece engolir remédios para dormir, para acordar, para ser feliz. Reconheço que muitas vezes o medicamento é necessário, mas, para saber disso, ele precisa ser prescrito depois de uma boa análise médica. Tomar remédio por conta própria não faz bem nem para a pele! No caso do uso de hormônios sem indicação adequada, por exemplo, eles podem causar queda de cabelos, excesso de oleosidade e outros problemas percebidos pelo dermatologista.

Já toda substância estimulante – em geral, aquelas que terminam em "ina" – provoca ressecamento, atrapalha as funções reparadoras dos tecidos e acelera o envelhecimento. Isso vale até mesmo para a cafeína, caso as xícaras de cafezinho ao longo do dia sejam muitas. E também para substâncias, como as anfetaminas, empregadas em fórmulas para emagrecer, assim como para a pior de todas: a cocaína.

Na lista de medicações que interferem na pele, eu destacaria ainda os diuréticos, que levam a uma perda desenfreada de sódio e potássio pela urina. Os dois minerais são essenciais para o metabolismo das células cutâneas. Sem eles, os mecanismos naturais de hidratação ficam totalmente abalados. Vale lembrar que remédios para baixar a pressão têm efeito diurético.

Já o orlistate, prescrito para algumas pessoas com obesidade por atrapalhar a absorção da gordura dos alimentos, também provoca interferências, principalmente quando o paciente sofre de diarreias constantes. As vitaminas A, D, E e K pegariam carona nas moléculas de gordura da comida para entrarem na circulação, mas desse jeito são perdidas. Sim, a pele sente muita falta delas.

Por fim, os corticoides, muitas vezes necessários para controlar inflamações, podem levar à retenção de líquidos e ao crescimento indesejável de pelos, quando consumidos por longos períodos e em doses muito elevadas. Os exemplos de medicamentos preencheriam parágrafos e mais parágrafos. Por isso, citei apenas alguns mais comuns para você ter clareza de como é importante contar para o seu dermatologista tudo o que está ingerindo.

> **Minha Dica**
>
> A primeiríssima delas: nunca deixe de lavar bem o rosto de manhã e à noite. O recado também vale para homens, para adolescentes e até para as mulheres que não usam maquiagem. Mesmo sem pintura, é preciso retirar a camada de sujeira do rosto, ainda mais quando se vive em cidades poluídas. Após a limpeza noturna, você deve usar um produto para nutrir, mesmo que a sua pele seja oleosa. Mas, após as limpezas diurnas, o importante é hidratá-la, especialmente nas estações mais secas do ano, quando recomendo, inclusive, um umidificador de ambiente para diminuir os danos.
>
> Você notou que eu usei o plural e escrevi "limpezas diurnas"? Isso porque o ideal seria lavar o rosto de novo na metade do dia – por exemplo, no horário do almoço. Mas eu entendo que, no caso das mulheres, muitas vezes é complicado refazer toda a maquiagem. Então, vamos simplificar: no meio do dia, ao menos crie o hábito de borrifar água termal sobre a face, logo depois de escovar os dentes.
>
> Eu sempre acreditei nela. Por ser mais pura, com um pH mais neutro, cheia de minerais e oligoelementos, ela tem o

poder de acalmar, além de hidratar. Se quer saber, mantenho um spray ou borrifador com água termal na bolsa para usar no trânsito – o ar-condicionado dos carros é mais um fator de ressecamento. Também borrifo essa água em pequenos intervalos durante o expediente e, sem dúvida, ao aterrissar de viagens aéreas, porque o clima pressurizado dos aviões não ajuda em nada.

4

O tempo passa no espelho...

Uma das primeiras perguntas que me fazem é quando alguém deveria se preocupar com rugas e outros sinais do envelhecimento. E a resposta mais correta que eu poderia dar seria: ao nascer. Afinal, o organismo é programado para envelhecer desde o primeiro instante de vida. Acontece com todos os órgãos – o estômago envelhece, o coração envelhece. Mas, por razões óbvias, é na pele que a passagem do tempo se torna visível.

A cada década de vida adulta, a espessura da pele diminui aproximadamente 6%, porque a velocidade com que as células se renovam é menor. Aquelas que nascem em sua camada mais profunda, na matriz da epiderme, demoram cada vez mais para subir e alcançar a superfície. Aliás, o que muitos ácidos e outros tratamentos contra o envelhecimento fazem é tentar acelerar essa trajetória.

À medida que a pele amadurece, a circulação sanguínea é outra que vai deixando de ser a mesma, levando menos oxigênio e nutrientes, e, com menos sangue, o que se vê é uma aparência mais pálida. Passados uns bons anos, a atividade das glândulas sebáceas e das glândulas sudoríparas também vai diminuindo. Então, há o enfraquecimento do filme protetor natural, a camada hidrolipídica formada por sebo e suor. É por isso que notamos que a pele fica mais ressecada com a idade.

No caso das mulheres, há um agravante: em determinado momento, os ovários encerram sua longa temporada de ciclos menstruais e as taxas de estrógeno diminuem pela metade. É a menopausa. A queda brusca do hormônio feminino desestimula a produção de elastina e colágeno, duas fibras de sustentação do tecido cutâneo. Daí a dura realidade: biologicamente a pele feminina tende a envelhecer mais cedo, uns dez anos antes que a masculina.

De modo geral, com a idade a derme e a hipoderme se tornam menos espessas até a perda de volume se fazer notória. A flacidez aumenta, lembrando que o colágeno nas mulheres após a menopausa diminui cerca de 2% ao ano. No rosto, há o surgimento de linhas de expressão, que, aos poucos, se transformam em rugas mais profundas e sulcos, e a queda do número de melanócitos, as células que produzem pigmentos. O que resta delas tenta compensar, só que exagera. Por isso, o que se vê são novas manchas e as que já existiam pioram de aparência. O sistema de defesa tampouco age com a mesma desenvoltura do passado. Até metade das células de Langerhans, que são as grandes defensoras da nossa pele, some com o passar dos anos, aumentando a fragilidade desse tecido.

O que há de errado nisso tudo? Nada. Todas essas alterações são absolutamente normais, embora muita gente não fique contente, e fazem parte do que chamamos de envelhecimento intrínseco, o programa de desgaste natural do corpo humano. De fato, essas alterações podem surgir mais depressa ou não. A genética desempenha um papel importante? Claro. A etnia e o tipo de pele, por exemplo, fazem total diferença na rapidez com que os sinais do envelhecimento aparecem, sendo o velocímetro mais acelerado nas peles claras em comparação com as mais escuras. A pele negra, por exemplo, não só possui muita melanina para barrar a radiação solar que acelera o envelhecimento desse tecido, como também tem uma derme mais compacta, com uma quantidade bem maior de fibroblastos, aquelas estruturas responsáveis pela síntese do colágeno.

Mas a velocidade com que se dá o envelhecimento também vai depender dos hábitos que cultivamos. Quem não planta bons hábitos quando é mais jovem vai colher não só rugas precoces, mas também problemas de saúde no futuro. É o que sempre digo: quem a vida inteira "se matou" de tomar sol, não usou protetor rotineiramente, bebeu pouca água e fumou feito um doido não pode querer uma pele resistente aos 60, muito menos aos 70, 80 anos. Ela com certeza chegará à maturidade cheia de rugas, manchas, placas e descamações. E isso sem mencionar prováveis tumores, consequência do envelhecimento extrínseco, aquele provocado por agressões no dia a dia.

Para se ter ideia, quem fuma apresenta 4,7 vezes mais rugas do que quem não é fumante, se compararmos pessoas do mesmo gênero e com a mesma idade. Ou seja, comportamentos e hábitos cotidianos afetam os genes e todo o cronograma natural do envelhecimento da pele, para o bem ou para o mal.

Sei que talvez seja estranho ouvir que a preocupação com as rugas deveria surgir no berço, embora faça um enorme sentido. O que posso garantir é que a pele se transforma desde o primeiro instante de vida e guarda uma memória de tudo o que fizemos. Vou, a seguir, explicar um pouco sobre cada fase.

A pele do bebê

O número de camadas é o mesmo, mas cada uma delas é tão fina – especialmente a mais externa de todas, a camada córnea – que a espessura final é um quinto da pele de um adulto. Tanto as glândulas sebáceas quanto as sudoríparas ainda não estão funcionando a pleno vapor. Portanto, não formam direito a barreira protetora. E, como também não existe ainda uma maturidade imunológica, o que temos é uma pele frágil, extremamente vulnerável a qualquer fator externo, de substâncias químicas a agentes microbianos, passando pelo contato físico.

O fato de um bebê produzir bem pouco suor também dificulta a regulação da temperatura corporal. A própria circulação na pele ainda é bastante lenta para ajudá-lo a se adaptar a mudanças bruscas do frio para o calor e vice-versa. Já os melanócitos, que produziriam o pigmento melanina para protegê-lo do sol, permanecem pouco ativos. Consequentemente, a sensibilidade aos raios ultravioleta é imensa. E, não, nenhum bebê pode usar filtro solar, ainda que específico para crianças, antes dos seis meses de idade. Afinal, sua pele é vulnerável a qualquer substância diferente.

Uma coisa que muitos pacientes me perguntam é se recém-nascidos podem ter espinhas. Isso porque, apesar da pele macia, muitos deles ficam cheio de pequenas erupções no tronco e no rosto, especialmente no queixo e nas bochechas. Elas costumam aparecer por volta da terceira semana de vida: é a chamada acne neonatal, causada pelo contato do organismo com os hormônios maternos no momento de nascer. E não sabemos por que alguns bebês são mais sensíveis a eles do que outros. Mas não há motivo para preocupação, já que se trata de um quadro benigno que passa antes de o pequeno completar seis meses de vida.

O contato com os hormônios da mãe na hora do parto também está por trás da dermatite seborreica no couro cabeludo, que fica cheio de pequenos flocos brancos, uma espécie de caspa. Você pode removê-los passando, com suavidade, óleo de amêndoas puro antes do banho.

Já no calor, a pele do bebê pode apresentar brotoejas, bolinhas esbranquiçadas ou avermelhadas que indicam um bloqueio nas glândulas sudoríparas. Outro problema que tira o sono das mães são as assaduras. O calor da fralda, aliado à umidade da urina e, muitas vezes, à falta de limpeza adequada da área, leva a uma inflamação que causa ardência, coceira e choro. Para evitar essa situação, a principal medida é a troca frequente de fraldas a fim de manter a pele mais seca.

Aproveito para avisar: lenços umedecidos podem irritar ainda mais a pele que já está toda assada. O ideal seria usar água morna em abundância para fazer a limpeza. O pediatra pode, ainda, indicar algum creme específico para formar um filme de proteção entre a pele e a urina/as fezes.

Minha Dica

Para o desenvolvimento do bebê, é importante que ele saia para tomar banhos de sol diariamente, mas nunca entre 10 da manhã e 4 da tarde, ainda que o dia esteja nublado. A radiação ultravioleta poderá ser alta demais mesmo com o céu cheio de nuvens.

Evite as brotoejas facilitando o trabalho das glândulas sudoríparas, isto é, mantenha o ambiente fresco e vista o bebezinho com roupas leves, de algodão, nos dias mais quentes.

Em relação à troca de fraldas, uma sugestão é substituir a água pelo chá de flores de camomila morno, que tem um bom efeito calmante. Lembrando que a troca deve ser imediata, logo que o bebê fez cocô. No caso de xixi, no máximo em intervalos de duas, três horas ao longo do dia, por mais absorvente que seja a fralda, para evitar que a umidade da urina fique em contato com a pele.

A pele da criança

A partir dos 3 ou 4 anos de idade, a pele é, digamos, intermediária em matéria de espessura e maturidade imunológica. Continua extremamente sensível aos raios ultravioleta, e todo cuidado é pouco. Muitos dos problemas que surgirão na vida adulta, incluindo um eventual câncer, podem se originar em queimaduras solares ao longo da infância, especialmente aquelas em que a pele descasca.

As crianças, assim como os bebês, também são muito sujeitas às chamadas dermatites atópicas, que causam coceira, vermelhidão e erupções. Na verdade, o que observo no consultório é que esse e outros problemas de pele têm se tornado mais frequentes, em parte por causa do estilo de vida moderno.

> **Minha Dica**
>
> *Os problemas de pele na infância têm muito a ver com uma alimentação infantil desequilibrada, cheia de corantes e conservantes, além de refrigerantes e excesso de doces. Ou, em outro extremo que também não é saudável, alguns pais riscam alimentos do cardápio dos filhos sem qualquer indicação para isso, pensando que dessa maneira irão proporcionar uma dieta com mais qualidade. Só que às vezes não é bem assim.*

Esses alimentos cortados, ainda mais sem o olhar de um pediatra ou de um nutrólogo, podem ser fundamentais até para a formação de uma microbiota mais adequada durante a infância. Hoje em dia, estudos e mais estudo são publicados mostrando a importância de bactérias que moram no intestino para uma pele saudável. E a infância é a fase ideal para garantir isso.

Vale aqui o lembrete de que a infância também é o período certo para criarmos o hábito do uso de filtro solar. Eu sei que é difícil quando se trata da criançada, mas é o correto.

A pele do adolescente

A partir dos 12 anos, mais ou menos, a pele já tem a espessura e a maturidade da de um adulto. A questão é que, na puberdade, a ebulição hormonal provoca um tremendo impacto. Nessa fase – que costuma começar um pouco mais tarde para os meninos, às vezes, por volta dos 14 ou 15 anos, os cabelos e a pele tendem a ficar mais oleosos. As espinhas são frequentes e os pelos corporais se multiplicam e engrossam. Para completar, a transpiração aumenta e o odor não é dos mais agradáveis.

A hipófise, glândula situada bem no meio do cérebro e que governa a produção dos hormônios sexuais, também coordena o trabalho das glândulas sebáceas, que aumentam três vezes de tamanho nesse período, produzindo mais e mais sebo. Daí a razão da acne, mais comum nessa faixa etária. A mesma hipófise é que faz a produção das glândulas sudoríparas dobrar.

Nessa idade, é preciso conscientizar os filhos de que chegou a hora de cuidar mais da higiene do corpo e da saúde da pele. Lavar os cabelos com mais capricho, sempre passar uma água no rosto e enxugar bem os pés após o banho, já que o chulé pode surgir de repente. Vale orientar e dizer: "Meu(Minha) filho(a), não dá para sair sem um desodorante!", certificando-se de que nunca falte esse produto no banheiro dele(dela).

Outro cuidado importante é passar um hidratante corporal depois do banho. É que na fase de maior crescimento, que chamamos de estirão da puberdade, a pele pode se esticar demais e de uma forma muito repentina. Se não estiver bem hidratada, isso poderá romper as fibras, gerando estrias na altura dos quadris dos adolescentes.

> **Minha Dica**
>
> *Por outro lado, atenção: a adolescência não é o período para alguém ser submetido a procedimentos radicais.* Não é a idade certa para a menina implantar silicone, por exemplo, ou fazer lipo, preenchimentos, alisar os cabelos. É preciso dar um tempo para que as transformações do corpo se completem. No entanto, com tristeza, noto que o desejo de encaixar os adolescentes em padrões estéticos dos adultos muitas vezes vem dos pais. Repito: não é hora. Paciência.
>
> Aliás, por falar em hora, esse é o momento de levar o menino ou a menina para uma primeira consulta no dermatologista, se ele ou ela nunca passou por esse especialista na infância. Isso, sim, é importante.

A pele aos 20 anos

Nessa idade, as células se renovam rapidamente e não faltam fibras de sustentação. É bem possível que a produção das glândulas sebáceas já tenha se normalizado após a intensa atividade hormonal da adolescência. Assim, nessa idade, a pele está no auge.

Mas, como tudo o que chega ao ápice, o declínio começa. A partir dessa idade, as fibras de sustentação passam a diminuir gradativamente e a proteção natural contra os raios ultravioleta também dá sinais de decadência – às vezes, sinais visíveis. Ou seja, podem aparecer as primeiras linhas marcando a longa temporada do envelhecimento.

Minha Dica *Não se iluda com o rosto firme no espelho*, achando que, por causa dessa aparência, dá para esquecer os cuidados básicos de vez em quando. Aos 20 anos, você deve seguir com disciplina a rotina de limpar o rosto, hidratar, nutrir e usar um filtro solar com fator de proteção solar (FPS) 30, no mínimo, diariamente. A partir dos 25 anos, já vale a pena investir em produtos com substâncias antioxidantes, como a vitamina C, em pequenas concentrações.

A pele aos 30 anos

Embora o processo de envelhecimento continue sendo sutil, tudo aquilo que já descrevi se intensifica: a desaceleração da renovação celular, a perda de hidratação, a diminuição da elasticidade. Costumam aparecer linhas finas de expressão na área dos olhos, na testa e entre o nariz e a boca – é o início do que chamamos de bigode chinês.

> **Minha Dica**
>
> Essa é a faixa etária com indicação para peelings com concentrações de ácidos mais elevadas, assim como a dosagem de princípios ativos rejuvenescedores nos cremes precisa ser maior. Em relação ao filtro solar, nada muda e a ordem é usá-lo sem trégua.

A pele aos 40 e aos 50 anos

As rugas, agora, são mais profundas e visíveis. A flacidez aumenta a ponto de, muitas vezes, já serem notadas diferenças no contorno facial, especialmente na região da mandíbula. As áreas de hiperpigmentação, que criam aquelas famosas manchas de idade, se multiplicam e, se já existiam, ficam a cada ano mais realçadas, ao menos se nada for feito. Por fim, o fato de as camadas da pele ficarem mais finas pode tornar visíveis pequenos vasos de sangue aqui e ali. E, sob os olhos, podem aparecer bolsas de gordura.

> **Minha Dica**
>
> Será que preciso repetir a história do filtro solar? Ela será para sempre! Além de aplicar ácidos com concentrações mais altas no dermatologista, na frequência indicada por ele – nessa faixa etária, o seu médico provavelmente vai indicar outros tratamentos além do peeling químico, como laser e toxina botulínica –, pode ser importante aumentar o seu kit de cosméticos do dia a dia, incluindo cremes com princípios clareadores para atenuar as manchas e produtos

especialmente formulados para as áreas dos olhos, com ativos descongestionantes.

Um recado importante: alguns problemas que costumam surgir nessa faixa etária, como uma flacidez muito grande nas pálpebras, só podem ser corrigidos com o cirurgião plástico. Nesse caso, procedimentos estéticos dermatológicos estão longe de ser a solução, ainda mais quando se busca um resultado natural. Eu serei sempre defensora de uma aparência mais harmônica, que deve ser o efeito de tudo o que é feito no consultório de um bom dermatologista.

A pele dos 60 anos em diante

A capacidade natural de produzir lipídeos diminui drasticamente e o que encontramos é uma pele fina, frágil, com elasticidade mínima. O ressecamento é grande e notam-se cada vez mais manchas. Aliás, a sensibilidade aos raios ultravioleta se torna novamente extrema, quase como se a pele voltasse à infância quando ela está sob o sol.

Minha Dica

O fator de proteção necessário pode ser maior. Costumo indicar um FPS acima de 60. Já os cremes do dia a dia precisam ser mais nutritivos e gordurosos. E atenção: existem marcas que já formulam opções para peles com mais de 70 e até mais de 80 anos, com componentes que melhoram as defesas naturais.

Para quem está nessa faixa de idade, meu conselho é esquecer a toxina botulínica, que não é tão eficaz nessa fase. Volto ao início de tudo: o envelhecimento é um processo normal e esperado. E o que está ao seu alcance para evitar que ele seja acelerado e produza muitas marcas é minimizar todos os fatores relacionados ao seu estilo de vida. Foque em uma boa alimentação, durma bem, controle o estresse, pare de fumar, faça exercícios.

5

Bem nutrida

Sua pele pode ser alimentada tanto de dentro para fora quanto de fora para dentro, caso você use um bom nutritivo à noite. Muita gente, aliás, quando eu sugiro aproveitar o período noturno para nutrir a pele de fora para dentro, alega que não pode usar esse tipo de produto por ter pele oleosa e viver com o rosto brilhando. Não é desculpa. Atualmente, existem formulações de nutritivos para todos, inclusive para quem tem pele oleosa, na forma de sérum, de gel, de loção oil-free.

O hidratante também contribui indiretamente para a boa nutrição ao diminuir a perda de líquido através do tecido. Sem água, as células cutâneas não conseguem nem absorver nutrientes adequadamente nem se livrar das toxinas que se formaram com sua utilização. Então, nada funciona tão bem. É por isso que a pele desidratada deixa o rosto opaco, sem um ar saudável.

No entanto, saiba que não adianta o hidratante evitar perdas de líquido se a pele não estiver sendo bem hidratada também de dentro para fora. Portanto, devemos manter um teor hídrico adequado bebendo, em média, 2 litros de água diariamente. Mas atenção: precisa ser água mesmo. Ela, no máximo, pode ser substituída por um chá de ervas, sem cafeína. Um suco de vez em quando está valendo, mas se lembre de que ele tem açúcar, ainda que seja o natural das frutas, que, em excesso, contribui para a obesidade, para o diabetes e para o envelhecimento. Já o cafezinho não deve ser considerado no cálculo para alcançar a cota diária de líquidos. Como já expliquei, a cafeína é um estimulante e, conforme a quantidade, pode fazer o inverso, ou seja, desidratar a sua pele.

Sobre a alimentação em si, a recomendação é a que já estamos carecas de conhecer e que segue a pirâmide nutricional. Ela tem um pouco de tudo, privilegiando frutas, legumes, verduras, cereais integrais, gorduras não saturadas, carnes magras, laticínios. O bom funcionamento da pele depende de tudo o que encontramos em um cardápio variado de comida caseira.

A seguir, destaco alguns nutrientes e bioativos dos alimentos:

- **Vitamina A** – Encontrada no fígado, em folhas de tom verde-escuro, como a rúcula e o espinafre, e em vegetais de cor alaranjada, como a cenoura, a abóbora e o mamão, ela ajuda a proteger a sua pele do sol do dia a dia e sua presença constante à mesa evita linhas de expressão, até por ter uma atividade antioxidante.
- **Vitamina B_6** – Está na carne e no feijão, entre outros alimentos, e é importantíssima para a regeneração da pele, das unhas e dos cabelos. Não só isso: um aporte adequado dessa vitamina ajuda a manter regulada a produção das glândulas sebáceas.
- **Vitamina B_{12}** – Presente nas carnes, nos ovos, no leite e em todos os seus derivados, ajuda a pele a formar queratina em suas camadas mais superficiais, que, sem esse nutriente, ficam mais fragilizadas.

- **Vitamina C** – Essa é uma das maiores vedetes quando o assunto é nutrição da pele. Primeiro, por ser um tremendo antioxidante, que age contra os radicais livres por trás de doenças e do envelhecimento precoce. Por isso mesmo, a vitamina C aumenta a resistência da pele a agressões externas, como a dos poluentes e a do sol. Além disso, ela acelera a produção de colágeno. Portanto, é um antienvelhecimento e tanto. As frutas cítricas são suas fontes clássicas. Mas a vitamina C também está em doses generosas no pimentão, nas folhas de cor verde-escura, no caju, na manga e no morango.
- **Vitamina E** – Ela é outro poderoso antioxidante e, em especial, ajuda a manter a elasticidade da pele. Está na gema de ovo, no germe de trigo e nos óleos vegetais em geral.
- **Vitamina K** – Suas principais fontes são as folhas da salada do dia a dia e o leite. A vitamina K diminui a fragilidade vascular, evitando manchas roxas – os hematomas – em pessoas nas quais elas surgem com facilidade. Participa ainda do processo de coagulação, ajudando na recuperação de lesões nos tecidos. Para quem tem olheiras provocadas por má circulação na região dos olhos – especialmente aquelas mais avermelhadas e arroxeadas –, essa vitamina é imprescindível.
- **Cobre** – Esse mineral está nos frutos do mar, no chocolate amargo e nas oleaginosas, entre outros alimentos. Ele participa da formação do pigmento melanina, do colágeno e da elastina, além de ser um tremendo antioxidante. Com tantos benefícios, dá para imaginar o que a falta dele causa na pele?
- **Zinco** – Você consome esse mineral quando ingere grãos integrais e crustáceos, por exemplo. Ele faz parte de uma série de enzimas em seu organismo, algumas das quais agem na pele no momento da cicatri-

zação e da formação de novas células. Então, se falta zinco... Ele também influencia na diminuição do sebo e tem um ótimo efeito anti-inflamatório, tanto que alguns estudos apontam que a carência dele piora a acne e o eczema.
- **Selênio** – Esse mineral é encontrado, por exemplo, na castanha-do-pará, bastando consumir uma única unidade por dia para garantir o aporte diário. Ou você pode obter selênio na sardinha, nas ostras, na carne de peru. Ele é um agente contra o envelhecimento precoce por ser um excelente antioxidante.
- **Isoflavonas** – São substâncias encontradas na soja e ajudam a manter a elasticidade da pele.
- **Licopeno** – Pigmento que dá o tom vermelho ao tomate, à melancia, à pitanga e a tantos outros vegetais com essa tonalidade, ele é mais um potente antioxidante. Na pele, age em conjunto e potencializa os efeitos das vitaminas A, C e E, protegendo-nos da radiação solar e evitando rugas, manchas e flacidez.
- **Resveratrol** – Substância encontrada nas uvas e, portanto, nos vinhos, especialmente nos tintos, ela é um dos maiores agentes contra os radicais livres de que se tem notícia.

E o seu intestino?

No entanto, não adianta eu dar a lista completa de nutrientes e bioativos se existir o que chamamos de disbiose intestinal, um desequilíbrio entre as populações de bactérias que habitam o nosso intestino. Algumas, ao fermentarem os alimentos, produzem substâncias extremamente benéficas à saúde, de maneira que devemos cuidar para que sejam maioria.

Outras, porém, não deveriam ganhar espaço, porque estão associadas a diversas doenças pelo corpo e, no caso da pele, desconfia-se do seu envolvimento com a dermatite atópica e com os eczemas. Aliás, nem é só essa a questão: sem uma microbiota bem ajustada, o intestino não absorverá direito os nutrientes do prato, tampouco os componentes dos melhores nutricosméticos.

Eu diria o seguinte: não adianta limpar o rosto, tonificar, usar cremes com um monte de princípios ativos, beber água e dormir bem se a pele não estiver recebendo de dentro para fora todos os nutrientes por causa de algum problema, como a síndrome do intestino irritável, a prisão de ventre, a colite. Disbioses e quaisquer distúrbios no intestino põem a perder boa parte desse esforço à mesa em prol da beleza.

Por isso, o que está sendo cada vez mais valorizado, quando pensamos em uma pele bem nutrida, é o consumo de prebióticos, como as fibras, que alimentam aquelas bactérias benéficas. Pelo mesmo motivo, os dermatologistas indicam cada vez mais o consumo de determinados probióticos, suplementos que repõem microrganismos desejáveis no intestino. Hoje, manter esse órgão saudável é reconhecido como uma atitude-chave para ter uma pele resistente e bonita. Diria que essa visão chega a ser uma mudança de paradigma.

Os cosmecêuticos

Sempre acreditei no uso de suplementos cosmecêuticos ou nutracêuticos para, como a expressão "suplemento" já indica, complementar o aporte diário de certos nutrientes e bioativos importantes para a pele. O mais clássico é a vitamina C, cuja dose diária recomendada seria 1 grama ao dia. No entanto, aqui mais uma vez acho melhor agir com cautela.

No meu consultório, peço às pessoas algumas dosagens de micronutrientes no sangue para saber exatamente o que está em falta e, desse modo, suplementar apenas o que é necessário. Engolir cosmecêuticos sem fazer essas dosagens ou, pior, sem qualquer orientação do dermatologista poderá ser, na melhor das hipóteses, dinheiro perdido. E, na pior, bastante arriscado.

Tudo aquilo de que seu organismo não precisa porque já tem mais do que o suficiente termina sendo destruído ou excretado. E essas tarefas são realizadas pelo fígado e pelos rins, respectivamente, que podem acabar sobrecarregados. Portanto, sem a certeza de que o seu corpo precisa de fato daquilo que está dentro de um cosmecêutico, não se encante com as promessas no rótulo – embora elas possam ser verdadeiras, talvez não sejam para você. Na dúvida, prefira caprichar nas porções de vegetais e cereais integrais no prato.

O colágeno

De fato, o colágeno é fundamental para a sustentação de todos os tecidos do corpo – e não apenas da pele. Sua produção, porém, começa a decair a partir dos 25 anos. Mas existem alguns enganos que precisam ser esclarecidos. O primeiro deles é que nenhum colágeno é capaz de prevenir rugas nem atenuar as já existentes. Propagandear esse tipo de informação, infelizmente, é puro marketing – por melhor que seja o colágeno, isto é, por mais bem absorvido que ele seja, as rugas continuarão lá, do mesmo jeito.

O que um suplemento com essa proteína faz é diminuir ou frear o processo de flacidez, melhorando bastante a aparência por causa disso. Mas, claro, o suplemento de colágeno deve ser de uma marca confiável, de preferência liofilizado, isto é, na forma de pó. Já essa história de comprar chocolate ou chupar balinha com colágeno é puro charme. A quantidade da substância nesses produtos nunca será suficiente para provocar qualquer efeito visível no espelho.

> **Minha Dica**
>
> *Evite dietas muito restritivas*, como as que estão na moda hoje em dia. A sua pele não gosta nada disso. Não só por faltar um ou outro nutriente. A preocupação maior é com a probabilidade de criar uma sensibilização. Pessoas que cortam glúten ou lactose do cardápio sem um bom motivo correm esse risco.
>
> Sei que, ao falar desse assunto, posso estar pisando em um terreno minado. Mas, se quer mesmo saber a minha opinião, na maioria das vezes o indivíduo já nasce com intolerância à lactose ou com a doença celíaca, que exige que ele fique longe do glúten. Nessas condições, a restrição na dieta será mesmo necessária. No entanto, o que mais vemos por aí é gente que apresenta apenas uma sensibilidade maior a esses e a outros ingredientes. Então, bastaria diminuir o consumo com a orientação de um especialista, mas jamais cortar tudo de vez e, ainda por cima, por conta própria.
>
> Essas restrições drásticas alteram completamente a microbiota intestinal. Resultado: passado um tempo de restrição severa, se por acaso essa pessoa entrar em contato sem querer com a substância que foi retirada da sua alimentação, mesmo que seja em uma quantidade mínima, o corpo poderá sofrer uma reação enorme. E é muito provável que ela se manifeste na pele, na forma de erupções ou eczemas. Ou seja, restrições alimentares sem indicação nem fundamento fazem alguns problemas dermatológicos crescerem como bolas de neve.

Como sempre digo – e provavelmente irei repetir muitas vezes ao longo deste livro –, todo excesso é ruim. Seja no sentido de riscar radicalmente algum alimento sem razão médica justificável, seja no sentido de ingerir comida em exagero.

Doces demais, por exemplo, fazem a pele envelhecer de modo acelerado, ao aumentarem a produção de radicais livres. Já muita gordura no prato, ao entupir as artérias, prejudica a microcirculação da pele e ainda a deixa mais oleosa. Um último exemplo é o do excesso de sódio. Ele faz seu corpo reter líquido, aumentando bolsas nos olhos e deixando o rosto com uma aparência opaca. Nada, nada em exagero faz bem para a pele. E, à mesa, isso fica bem claro.

6
Dois hábitos essenciais

Você provavelmente já ouviu falar nas Zonas Azuis. Esse foi o apelido que o jornalista americano Dan Buettner, autor de best-sellers sobre estilo de vida saudável, deu para as cinco regiões com o maior número de centenários do mundo: Icária, na Grécia; Okinawa, no Japão; Loma Linda, nos Estados Unidos; Sardenha, na Itália; e Nicoya, na Costa Rica. Ao lado de pesquisadores, Buettner mapeou essas áreas, considerando, inclusive, se os idosos, mais do que numerosos, tinham muita energia de viver ou baixos índices de problemas como demências.

Depois, procurou descobrir que hábitos essas pessoas, de lugares tão diferentes, tinham em comum. E chegou a uma lista deles, como consumir muitos vegetais, manter uma vida social cultivando amizades próximas e, independentemente da religião, desenvolver a espiritualidade, ou seja, a fé na existência de algo bom e maior do que tudo, que eu, particularmente, chamaria de Deus.

Talvez você se pergunte o que isso pode ter a ver com a sua pele. E eu respondo: muita coisa. A gente pode deduzir que amigos e espiritualidade, por exemplo, reduzem o estresse e, indiretamente, melhoram a imunidade e toda a questão hormonal. Afinal, até aqui já expliquei como o estilo de vida equilibrado impacta na saúde e na aparência da pele, destacando a dieta no capítulo anterior.

No entanto, dois outros hábitos das pessoas longevas das Zonais Azuis também merecem reflexão, pensando como dermatologista. Um deles é o exercício. Os centenários dessas regiões movimentavam o corpo pelo menos 45 minutos por dia. E isso me faz lembrar de pesquisadores da Universidade Harvard, nos Estados Unidos, que observaram o mesmo hábito nos indivíduos mais longevos dos cinco continentes: todos se exercitavam diariamente.

Mas, antes, é preciso entender que atividade física é essa. Estamos falando em movimentar o corpo sempre, ou seja, de exercícios moderados e constantes ao longo da vida inteira, como fazer caminhadas. No caso de esportes, os estudiosos americanos notaram que eram mais adeptas de um estilo de vida ativo aquelas pessoas que incluíam na rotina alguma modalidade enraizada na cultura local e, portanto, mais fácil de ser praticada no lugar onde viviam. Ou seja, esquiar pode ser ótimo para quem sempre morou em um lugar que neva, assim como nadar pode ser uma boa pedida para alguém que cresceu no nosso litoral. O importante – eis o ponto para a gente prestar mais atenção – é procurar uma atividade física que não produza tantos radicais livres.

Isso mesmo: esportes com explosão provocam uma grande carga dessas moléculas instáveis, o que acaba prejudicando todo o organismo, incluindo a pele. A gente sabe que, até por causa disso, esportistas profissionais tendem a envelhecer mais depressa e com mais rugas. Sem contar que algumas modalidades fazem com que tomem sol em excesso e que haja uma demanda maior de certos nutrientes. Se a alimentação não for bem orientada por um nutricionista do esporte, acaba gerando um problema para a pele.

Quando falamos em produção excessiva de radicais livres, claro que o prejuízo é bem maior para quem não está com o condicionamento adequado e arrisca até mesmo a sua vida ao se tornar um atleta de fim de semana. Sempre digo: tudo é uma questão de hábito. Nesse sentido, voltando ao exemplo que dei, esquiar pode ser excelente para quem esquiou a vida inteira, cavalgar pode ser fantástico para quem cavalgou a vida inteira e assim por diante. Faz diferença não apenas treinar mais vezes ao longo da semana, como também o fato de o seu organismo já estar, de alguma maneira, adaptado àquele exercício.

Ao praticar uma atividade física moderada e sem muitas explosões de movimento, você está ajudando a sua pele de muitas maneiras. Diretamente, por incrementar a microcirculação nesse tecido e levar mais oxigênio às suas células – e isso é favorecido também porque você irá respirar melhor.

Indiretamente, o exercício moderado rotineiro faz bem à pele porque libera endorfinas, substâncias que promovem sensações de relaxamento e bem-estar. Elas vão continuar circulando por muitas horas após o treino, afastando o estresse e melhorando a qualidade do sono, outro hábito das pessoas longevas do qual não podemos abrir mão. Ele é importantíssimo.

Algumas pessoas se contentam com seis horas de repouso noturno, outras precisam de umas oito. Seja qual for a necessidade de tempo de descanso dentro dessa faixa, é fundamental que ela seja respeitada. Pois é só quando estamos bem adormecidos que o organismo diminui a produção do cortisol do estresse e libera substâncias que reparam os tecidos, principalmente o GH, o hormônio do crescimento. Ele é essencial para renovar a sua pele. E, não à toa, a expressão que todos nós usamos é sono de beleza.

> **Minha Dica** — *A primeira você já deve imaginar: movimente o seu corpo todos os dias* e, se isso for impossível, coloque como meta praticar atividade física pelo menos três ou quatro vezes por semana. É o ideal? Não. Mas é melhor do que nada ou do que deixar para se exercitar apenas nos fins de semana.
>
> Sobre o sono, sou muito favorável que as pessoas durmam mais cedo, uma vez que o pico de liberação do GH e de outros hormônios, como a melatonina que regula o relógio biológico, ocorre quando você já está dormindo há algumas horas. Mas tem um limite, isto é, há uma faixa de horário para isso acontecer adequadamente. Se a pessoa vai para a cama às 2 da manhã, mesmo que ela possa acordar mais tarde e dormir por oito horas, a liberação desses hormônios nunca será a mesma. Essa pessoa terá perdido o timing para reparar os danos e renovar as células da pele.
>
> Por isso, procure fazer atividades relaxantes à noite. Programe o seu horário de dormir e se desconecte do mundo virtual e dos problemas uma ou duas horas antes. Experimente praticar meditação antes de se deitar e, se for o caso, tome um banho com óleo de lavanda para induzir um maior relaxamento.
>
> Faça, enfim, o que chamamos de higiene do sono: nada de telinhas, nem telonas no quarto. Apague completamente as luzes. A escuridão é uma exigência da nossa fisiologia, desde os tempos das cavernas, para a glândula pineal no cérebro secretar a melatonina que irá, por sua vez, regular os horários de todas as funções do organismo. E esses horários bem regulados, eu garanto, ficam estampados na cara.

7

Os vários tipos

O mundo já não é o mesmo e isso é indiscutível. Além das mudanças climáticas e da alimentação, que nem sempre é tão equilibrada, as pessoas tomam mais remédios do que no passado e, aqui, nem vou entrar no mérito da necessidade. Vamos focar apenas na pele e imaginar dois exemplos: um medicamento para emagrecer que aja na insulina produzida pelo pâncreas acaba alterando a pele, do mesmo modo que um comprimido para modular o humor no sistema nervoso central. Afinal, lembre-se do eixo neuro-imuno-endócrino que expliquei. Ele se ajusta às inúmeras interferências como essas e, no caso da pele, também pesa bastante no aumento da longevidade. Justamente porque tanta coisa mudou, perdeu o sentido aquela história de "tenho pele seca, mista ou oleosa e ponto".

Hoje, para cada paciente que entra no consultório, pode existir uma classificação diferente. E, se o mesmo paciente voltar dali a alguns anos, sua classificação poderá ter mudado. No fundo, todo mundo tem pele mista. Isso porque nenhuma pele é 100% oleosa, por exemplo. Aliás, no caso das mulheres em idade fértil, ela pode se tornar oleosa ou ainda mais oleosa conforme o período do ciclo hormonal mensal. Tanto que algumas pacientes apresentam espinhas quando a menstruação desce e outras vão tê-las bem na fase da ovulação.

Por variações assim, há quem diga – e eu concordo – que os cosméticos deveriam estampar na embalagem "pele *com tendência* a oleosa" ou "pele *com tendência* a seca", sem expressões taxativas, porque tudo pode se alterar conforme a idade avança ou se a pessoa muda de país ou, ainda, por causa de algum tratamento que esteja fazendo e qualquer alteração importante em seu estilo de vida.

Para você reconhecer como está a sua pele no momento atual, vou descrever uma classificação simples, que engloba seis tipos. Talvez estranhe duas coisas. A primeira é a ausência, nessa classificação, da famosa "pele normal". Esqueça! Pele normal, para valer, é um privilégio dos bebês. Em geral, ainda na primeira infância a pessoa se enquadra em um dos tipos que irei descrever. E como nada é para sempre, como já expliquei, qualquer um pode – e provavelmente vai – mudar de classificação ao longo da vida.

O segundo ponto é que toda pele, mais oleosa ou mais seca, pode ser sensível, ficando vermelha e irritada por qualquer bobagem. Ou seja, toda pele pode se sensibilizar e reagir até mesmo a oscilações na temperatura ambiente, ardendo no frio e coçando no calor. Cada vez mais frequente, essa sensibilidade está associada a quadros clínicos que chamamos de atopias. É o caso daquele indivíduo que vive com rinite, do paciente que sofreu de bronquite e que apresentou eczemas pelo corpo na infância, de quem teve acne ou rosácea na vida adulta... Por isso, o dermatologista precisa perguntar sobre o passado, para afastar a hipótese de estar diante de uma pele sensível, o que nem sempre está escancarado no rosto no momento da consulta. Tente agora reconhecer qual é a sua.

A pele com tendência a oleosa
Por causa do clima e por questões hereditárias, ela é a mais comum em toda a América do Sul. No caso, há uma hiperatividade das glândulas sebáceas, provocada por fatores genéticos ou por questões hormonais, como aquelas decorrentes de ovários policísticos.

Mas, quando pensamos nos homens, a pele deles apresenta essa tendência sem que haja qualquer distúrbio. É que os hormônios masculinos estimulam a atividade das glândulas sebáceas, que, ainda por cima, são mais numerosas neles e estão sempre rondando os folículos onde nascem os pelos – basta notar, os homens têm até barba!

Seja em quem for, a pele oleosa tem um aspecto engordurado, vive brilhando e dá a impressão de pegajosa no decorrer do dia. Os poros são visivelmente mais abertos e o sebo, produzido em quantidade maior, tende a entupi-los. Por isso, costumam surgir cravos e espinhas. Em contrapartida, toda essa lubrificação faz com que rugas e marcas de expressão demorem mais para aparecer.

Também não é uma pele que sinta ardor ou queimação com facilidade ao usar algum cosmético. Uma pista para reconhecê-la é que basta passar um produto mais umectante e sua oleosidade dispara, podendo ficar com acne depois.

A pele oleosa sensível
A julgar pela aparência, pode parecer não haver diferença entre esse tipo e a oleosa comum. Mas é fácil reconhecê-la, porque costuma gerar queixas sobre o fato de que, depois de passar um creme para diminuir a oleosidade, a pessoa sente o rosto inteiro repuxar.

A mesma sensação, algumas vezes acompanhada de vermelhidão e ardor, surge se quem tem pele oleosa sensível usa abrasivos e sabonetes capazes de retirar o acúmulo de queratina da superfície. Enfim, devemos tomar extremo cuidado com esse tipo de pele na hora de prescrever estratégias para conter a oleosidade, se não quisermos chegar a outro extremo, nem provocar inflamações.

A pele mista clássica

Enquanto as laterais do rosto são opacas, a famosa zona T – o conjunto de testa, nariz e queixo – brilha por causa do excesso de óleo e pode apresentar muitos cravos ou espinhas. Nessa região, não dá para usar nenhum produto muito untuoso, nem hidratante mais potente, para não piorar de vez.

A rigor, o certo seria usar produtos para pele oleosa na zona T e um bom hidratante apenas nas laterais da face, mas admito que isso complicaria o dia a dia. E facilitá-lo na medida do possível, a meu ver, é papel do dermatologista, a fim de que a pessoa realmente comece a cuidar da pele com disciplina, sem desistir nas primeiras semanas depois da consulta. Por isso, uma sugestão válida, especialmente para quem mora em lugares muito quentes, é usar produtos para pele oleosa no verão e loções formuladas para peles mistas nas outras épocas do ano.

A pele com tendência a seca

Com um aspecto mais áspero, fino e opaco, ela se descama facilmente e tem pouca elasticidade. Tanto que é mais propensa a rugas e flacidez. Uma pista para reconhecê-la: é uma pele que parece confortável, em vez de melecada, depois que você passa uma loção mais cremosa e umectante ou até mesmo um produto mais pesado, como uma pomada.

O interessante é que esse tipo se revela com a idade. Já vi pacientes que tinham uma pele oleosa na juventude, mas que se tornou com tendência a seca com o passar dos anos, à medida que a produção de sebo diminuiu.

A pele seca sensível

Assim como acontece com os tipos mais oleosos, a pele seca e a seca sensível se confundem em um primeiro olhar. Mas a segunda termina irritada se você hidratar demais. E o engano está aí: em geral, o paciente acha que, por sua pele ser seca, ele poderá usar qualquer hidratante. Só que a variante sensível não vai suportar qualquer coisa, especialmente se o creme tiver uma maior concentração de ativos para minimizar as rugas. Então, de novo, é preciso tomar cuidado e usar produtos que contenham ingredientes calmantes em peles assim.

A pele puramente sensível

Qualquer coisa a irrita, tudo a deixa vermelha – a maioria dos sabonetes, um creme anti-idade comum, um filtro solar com fator de proteção mais forte. É uma pele que arde por nada. E, muitas vezes, as pessoas confundem tudo, achando ser um caso de alergia. Que nada! Peles puramente sensíveis exigem formulações delicadas ao extremo, leves, com a menor quantidade de componentes possível. Perfumes e corantes, em geral, são os primeiros a sair da fórmula.

Minha Dica

A pele e os cabelos costumam mudar de tipo durante viagens, especialmente se você for para outro país em que o pH da água for bastante diferente do nosso, sendo ela mais calcária ou mais clorada, como a dos Estados Unidos. Como não estamos acostumados a um maior teor de cloro, lá a água tira demais a oleosidade e é como se a microbiota da pele – as inúmeras bactérias que vivem nela – estranhasse. Nos primeiros dias, algumas pessoas até acham que os cabelos melhoraram e que parecem mais soltos. Mas isso acontece porque, provavelmente, os fios estavam oleosos. Passado um tempo, se a temporada no exterior se prolongar, eles podem ficar feito uma vassoura!

No caso de peles sensíveis, sejam as mais oleosas, sejam as mais secas, esse pH diferente da água poderá desencadear reações como vermelhidão, prurido e ardência. Por isso, eu sempre recomendo que as pessoas, especialmente as de pele sensível, levem na bagagem produtos com ativos calmantes, como aloe vera, camomila e chá verde.

Outra dica é não misturar o conceito de ressecamento com ter pele seca. Qualquer tipo de pele pode terminar ressecada se o ar não estiver com umidade suficiente – por exemplo, dentro de aviões ou em ambientes climatizados –, caso tenha tomado mais sol do que devia, se a pessoa não estiver bebendo água com frequência ou se, por uns dias, por relapso, tenha se esquecido de passar o hidratante. O ressecamento é, portanto, um estado transitório, quando o tecido está perdendo mais líquido do que o que está sendo reposto.

Por fim, vale lembrar que as peles morenas e as negras são mais protegidas do sol por natureza, mas isso não quer dizer nada em matéria de tipo. A pele mais escura pode ser mais seca ou com tendência a ser oleosa como qualquer outra. E, diga-se de passagem, com frequência é muito sensível. Não devemos confundir resistência ao sol com sensibilidade.

8

Limpar, tonificar, hidratar...

Essas são as três etapas fundamentais de cuidados diários que, do ponto de vista da saúde e da higiene, considero tão essenciais quanto escovar os dentes. Sempre, claro, usando produtos adequados ao seu tipo de pele.

Costumo dizer que, se a pessoa não tem condições de fazer nada, ela ao menos deveria lavar bem o rosto de manhã e à noite, sendo essa uma das primeiras ações matinais e uma das últimas coisas a fazer antes de ir para a cama. É o mínimo.

A limpeza

Há bons motivos para repetir a limpeza no começo e no fim do dia. À noite, a primeira razão parece óbvia: é o momento de retirar toda a sujeira acumulada ao longo da jornada, mesmo que você seja um homem ou uma mulher que não usa maquiagem. Sempre haverá uma camada de poluentes, sebo e suor para ser eliminada. E o segundo motivo seria preparar o caminho para tirar o máximo proveito de um creme de tratamento. Afinal, a madrugada é quando o metabolismo da pele está mais aguçado e apto a aproveitar os benefícios dos princípios ativos de um cosmético.

Justamente por causa dessa renovação noturna do tecido cutâneo, a limpeza da manhã é igualmente importante. Ela vai retirar não só as células mortas que descamaram nesse processo como também resquícios daquele creme que você passou antes de se deitar. Confesso que tenho mania de lavar bem a pele e uma das primeiras coisas que faço ao me levantar é passar muita água e sabão no rosto. Se quer saber, acho essa dupla imbatível. Mas atenção: é para usar um sabonete próprio para uso facial. O sabonete corporal, que a gente passa no banho, é muito mais detergente e não deveria ser usado na face. Aliás, nem no colo, nem no pescoço.

Aliás, aqui, preciso fazer uma observação importante: toda vez que eu falar em cuidados faciais de rotina, estou incluindo colo e pescoço. Os mesmos produtos que você usa na face, em qualquer uma das etapas, podem e deveriam ser usados nessas regiões, que têm uma pele com a mesma espessura e características.

Em relação à limpeza, para quem não gosta de sabonete como eu, existem alternativas como loção, emulsão, gel, mousse... E tem ainda o demaquilante, às vezes até em forma de óleo, que será necessário especialmente se você usar alguma maquiagem à prova de água – o que eu, particularmente, não utilizo, justamente pela importância que dou à limpeza facial.

Seja qual for o produto que você usa primeiro, se uma emulsão de limpeza ou um demaquilante, procure finalizar com o sabonete. E a razão para isso é que sempre sobrará um restinho desse outro produto sobre a sua pele, como se você a limpasse por um lado e a sujasse um pouco de volta por outro. Daí o sabonete completa o serviço de limpeza, entende?

A opção do esfoliante

Se a ideia é esfoliar as células mortas, a hora é esta: logo após a limpeza. Mas é fundamental que o produto seja específico para rosto, colo e pescoço. Isso porque a pele poderá sair machucada se você esfregar nela os grânulos maiores dos esfoliantes corporais.

Por que esfoliar? A renovação completa da sua pele pode levar de 30 a 40 dias. A esfoliação favorece esse processo, melhorando a textura e evitando cravos. Por isso mesmo, é bastante indicada para peles oleosas e, no caso delas, pode ser repetida uma ou, no máximo, duas vezes por semana. Mais do que isso, por mais que as microesferas dos esfoliantes para o rosto façam um trabalho suave, será prejudicial. E, se a pele não for oleosa, o intervalo entre uma esfoliação e outra deverá ser até maior, conforme a avaliação do dermatologista.

O tônico

Ele prepara a pele para receber o creme de tratamento e, para muitas pessoas, é uma etapa opcional. O que todo mundo precisa entender é a diferença entre loção tônica e adstringente. A primeira é formulada com substâncias hidratantes e calmantes, portanto é a melhor opção para peles secas e sensíveis. Já a loção adstringente pode conter álcool de cereais, que ajuda a fechar os poros e a tirar o excesso de brilho das peles oleosas e mistas, em especial na famosa zona T – testa, nariz e queixo.

Hidratação e proteção solar

A película natural de proteção da pele, composta por sebo e água, costuma ser arrastada junto com a limpeza. A função de um hidratante é reconstituir esse filme e, mais do que isso, minimizar a perda de líquido que acontece ao longo do dia. Alguns produtos ainda vão fornecer outras substâncias, como vitamina C, para reforçar a capacidade da pele de se defender contra eventuais agressões. Mas a função primordial de um hidratante não é essa e, sim, reconstituir o filme e evitar perda de líquido.

Facilita muito a vida escolher um produto que já ofereça uma proteção solar de amplo espectro, isto é, com um FPS 30 no mínimo, para barrar os raios ultravioleta B (UVB), e com proteção também para os raios ultravioleta A (UVA). Vale reforçar que esse conselho é igualmente importante para quem tem pele negra. Apesar de a concentração de melanina conferir maior proteção natural contra os raios solares, esse tipo de pele mancha com facilidade justamente por formar muito pigmento.

A alternativa ao hidratante com protetor solar seria o inverso: no lugar dele, optar por um filtro que já seja hidrante. Hoje em dia a indústria se esforça para oferecer protetores dois em um, às vezes até três em um, quando já têm coloração e funcionam como base para a maquiagem. Como a etapa da proteção é insubstituível, então juntar funções simplifica a vida.

Agora, se o hidratante escolhido por você não tiver uma proteção muito boa, aí não tem jeito: você terá que, primeiro, hidratar e, depois, passar um filtro solar por cima.

Nutrir e tratar

À noite, após a limpeza com um bom demaquilante e, na sequência, água e sabão – os homens já partiriam desse ponto –, eventualmente usando um tônico ou um adstringente, chega a hora de usar um cosmético nutritivo ou anti-idade.

Os cremes noturnos sempre apresentam uma concentração muito maior de princípios ativos, já que a pele absorve melhor durante a madrugada. É, portanto, nesse horário que você pode tirar proveito de substâncias capazes de nutrir, estimular o colágeno ou a elastina, diminuindo rugas, clareando manchas, estimulando a renovação das células e reparando danos causados pelos radicais livres.

Vaidade masculina?

Ela é bem-vinda. Mas vou sempre repetir que cuidar da pele não é só uma questão de beleza, mas também de saúde, já que se trata do maior órgão do corpo humano. Se compararmos a pele masculina à feminina da mesma idade, é cerca de 25% mais espessa, com produção de sebo aproximadamente duas vezes maior.

Portanto, é bom que os homens aprendam de vez a limpar o rosto, para tirar todos os dias o excesso de células descamadas e de sebo, usando produtos específicos para eles ou qualquer outro encontrado em farmácias, desde que adequados ao tipo de pele. Em geral, preferem os sabonetes faciais. A única dica, ao usá-los, é evitar a água muito quente. Ela até ajuda no barbear; só que o calor, no caso, pode provocar um efeito rebote e aumentar a oleosidade natural da pele.

Por causa dessa oleosidade, aliás, os homens em geral precisam passar um adstringente na testa, no nariz e no queixo, ou seja, na zona T. Para os que não gostam ou não precisam, aconselho então terminar a limpeza borrifando uma água termal. E, na sequência, como em qualquer outra pele, passar um filtro solar durante o dia, podendo optar por usar um creme noturno também. Por que não?

EM RESUMO

▶ **Limpe bem a pele ao acordar e ao dormir, usando sabonete facial.** Se preferir, passe uma loção de limpeza ou demaquilante e ainda assim complete essa etapa ensaboando o rosto, sem se esquecer do pescoço e da região do colo, que têm a pele parecida. Se é dia de fazer uma esfoliação, a hora é esta: logo na sequência da limpeza.

▶ **Você pode passar um tônico ou, nas regiões mais oleosas apenas, uma loção adstringente.** É bacana? É. Mas é fundamental? Para as peles que não são muito oleosas, a resposta é não.

▶ **Durante o dia, após a limpeza – e o tônico ou o adstringente, se for o caso – capriche no filtro solar.** Use um hidratante com um bom fator de proteção. Mas, se quiser facilitar a vida, vá direto ao protetor solar, escolhendo um produto que tenha propriedades hidratantes, apropriado para o dia a dia. Não tem desculpa: existem protetores para todo tipo de pele, até para as mais oleosas, com um toque seco.

▶ **Parada obrigatória.** Sempre que possível, repita todo o processo matutino no meio do dia. Por exemplo, ao escovar os dentes após o almoço. Isso vale especialmente se você passou muito tempo na rua, com o rosto exposto aos poluentes, sentindo que suou bastante ou que está com a pele engordurada. Acha que é demais? Então, apenas reaplique o protetor solar por todo o rosto, o colo e o pescoço.

- **Após o banho.** Use um hidratante corporal. Assim como acontece com a pele do rosto, que perde a película de proteção na limpeza com sabonete, a do corpo também precisará ser reconstituída.
- **À noite, após a limpeza.** Aplique um creme nutritivo ou com maior concentração de princípios ativos anti-idade.

Minha Dica

Se alguém não quer ou não está podendo investir em vários produtos cosméticos ao mesmo tempo, eu falo para deixar de lado o hidratante diurno e só usar o filtro solar durante o dia, mas jamais abrir mão de um nutritivo ou qualquer outro bom creme de tratamento para agir noite adentro. Um nécessaire com o mínimo de produtos teria: um bom sabonete facial, um filtro solar e um creme noturno. Nele, eu acrescentaria um hidratante para o corpo, lembrando que, nas mãos, se não quiser ter um tubinho de hidratante só para elas, você poderá usar os mesmos produtos do rosto.

Acho que, em um mundo de tantos afazeres, tudo precisa ser pensado no sentido de facilitar. Por exemplo, a história de fazer determinados movimentos para passar os cosméticos. Isso ajuda? Sim. Os movimentos devem ser ascendentes e você pode finalizar tudo dando uns tapinhas leves com as pontas dos dedos para estimular a microcirculação e, com isso, incrementar a penetração dos cosméticos. No entanto, dos trinta pacientes que atendo diariamente, só uns dois fazem isso. Então, se noto que esse tipo de dica fará com que a pessoa se sinta desmotivada a cuidar da pele dizendo que vive com pressa, prefiro que ela esqueça desses detalhes e simplesmente passe ligeiro no rosto o que tiver de passar. É melhor do que não fazer nada.

Essa, aliás, é uma reflexão que precisamos fazer em tempos de rotina da pele coreana, que está no centro das discussões de beleza, inclusive em congressos de dermatologia. Já ouviu falar? Pois as mulheres dessa nacionalidade seguem algumas vezes por dia – sim, até no meio do expediente de trabalho! – uma rotina de dez ou mais passos de cuidados com a pele do rosto. Se me perguntam dos resultados, admito que eles muitas vezes são incríveis. Mas quem tem tempo e dinheiro para tanto? Acredito que a grande lição da rotina de pele coreana não é ficar uma hora se dedicando aos cuidados com o rosto, mas servir de lembrete: a sua pele merece que você dedique alguns momentos do seu dia. Pode até ser rápido, mas tenha consciência disso ao lavar o rosto ou ao passar um creme. Faça tudo, cada movimento, por mais breve que seja, com atenção e carinho.

9

A delicadeza do olhar

Os olhos merecem um capítulo à parte. Afinal, as pálpebras possuem até 60% menos glândulas sebáceas do que outras regiões do corpo e são formadas por uma pele tão fina que chega a ser transparente, com 0,4 milímetro de espessura. Mas não é só por causa dessa fragilidade e da falta de lubrificação que essa região se torna tão vulnerável. As fibras de elastina e de colágeno parecem ser menos resistentes, ao mesmo tempo que – covardia! – a musculatura não para quieta para que você possa piscar ou olhar para um lado e para o outro.

Isso sem contar as contrações que os músculos locais fazem para expressar emoções. A gente arregala os olhos de espanto, aperta as pálpebras quando sorri, franze tudo ao chorar... Essa movimentação é um estica e puxa constante em uma pele tão delicada. Não à toa, os pés-de-galinha costumam ser os primeiríssimos sinais do envelhecimento facial, antes mesmo de surgir o sulco que liga as narinas às extremidades dos lábios, que chamamos de bigode chinês.

Por isso, o ideal é sempre usar um produto específico para os olhos no dia a dia – tanto de manhã quanto à noite. Os produtos para essa região têm um ajuste perfeito: ao mesmo tempo que possuem um maior poder de hidratação, compensando a deficiência do sebo natural, eles têm um menor fator de irritação. Imagine que, sendo tão fina, tudo penetra nessa pele com maior facilidade e isso, se tem um lado bom, também pode favorecer irritações indesejáveis, sem contar a própria proximidade com o globo ocular.

Na hora dos cuidados faciais, coloque um pouco do creme no dedo anelar, deslizando-o sobre as pálpebras inferiores e superiores, sempre no sentido de dentro para fora, com uma levíssima pressão. Existem formulações mais voltadas à prevenção ou ao tratamento de rugas e produtos que são hidratantes mais simples, às vezes com agentes descongestionantes ou despigmentantes para atenuar as olheiras. Mas, de novo, sempre há alternativa quando a pessoa não pode ou não quer investir em um cosmético. Aliás, nesse caso, sugiro logo duas: você pode tentar usar nas pálpebras o mesmo creme que passa no rosto à noite, por ser mais untuoso, ou pode manter a área lubrificada com uma gotinha de óleo de oliva ou de rosa-mosqueta.

Rugas ao redor dos olhos
Elas se dividem em dois grupos. Existem as de movimento, que, em geral, são linhas muito finas. Já as rugas de repouso são marcas da idade, que tendem a se aprofundar cada vez mais a partir dos 25 anos. Em casa, os cremes – ou até a gotinha de óleo – são o melhor caminho para retardar o seu aparecimento, desde que haja disciplina e que essa região não seja esquecida dia sim, dia não. A constância, aliás, é o maior segredo nos cuidados com a pele.

No consultório, um dos primeiros tratamentos cogitados para rugas ao redor dos olhos é a injeção da toxina botulínica. Mas precisamos entender os seus limites. A substância apresenta bons resultados quando é aplicada nos pés de galinha, isso é fato. Mas atenção: ela evita que o problema se agrave, sem apagar de vez os sulcos já existentes na região. Portanto, tire essa expectativa da cabeça.

A toxina botulínica também não funciona contra linhas localizadas nas pálpebras inferiores. Em relação à flacidez, aplicada do jeito certo, em um ponto exato que só o médico é capaz de reconhecer, ela ajuda a reerguer pálpebras superiores caídas, dando um ar mais vívido ao olhar, como se tirasse aquele aspecto de eterno cansaço. No entanto, nunca é indicada para casos de flacidez acentuada, que são mais frequentes a partir dos 55 anos.

Para minimizar as rugas na área dos olhos, também é possível fazer uma espécie de preenchimento com ácido hialurônico, substância que estimula a produção de colágeno e elastina e que pode ser injetada por meio de uma cânula. Como sou fã de um resultado mais natural, faço apenas algumas ressalvas: é preciso escolher um dermatologista experiente para essa aplicação. Às vezes surgem hematomas bem feios, mas eles são até o de menos. O pior é quando o aspecto fica esquisito, porque é como se uma linha fosse mais preenchida e ficasse mais saliente do que outra. Daí não tem jeito, a não ser esperar cerca de seis meses para o efeito acabar. Aliás, essa é uma vantagem: o gel ácido hialurônico aos poucos vai sendo reabsorvido. Eu sou veementemente contra qualquer preenchimento que não seja absorvível com o tempo.

Finalmente, existe a possibilidade de o seu médico indicar lasers, capazes de estimular a produção de colágeno. Eles atuam tanto nas rugas mais superficiais quanto nas mais profundas. Só é preciso – como sempre, em nome do bom senso – que o dermatologista avalie muito bem a pigmentação do rosto. Isso porque quem tem determinadas olheiras pode sair com menos rugas, mas com duas manchas esbranquiçadas sob os olhos.

Olheiras

A causa é quase sempre genética. Existem pessoas que herdam a tendência a uma olheira pigmentar, que, como o nome indica, é resultado de um excesso de pigmentação ao redor dos olhos, formando manchas escuras, em geral mais para o tom de marrom. Mas também existem aqueles indivíduos em que os genes determinam pequenas alterações nos vasos sanguíneos dessa área, e elas dificultam a circulação sanguínea por ali. A oxigenação da pele, então, fica prejudicada e o que se vê são manchas mais avermelhadas ou em um tom de roxo.

Por que, então, quem dorme mal acorda com olheira? Porque quem não faz direito o ciclo do sono acaba sofrendo mais com a ação de hormônios que irão prejudicar ainda mais essa circulação local. Mas a base do problema é sempre genética e o que podemos fazer, portanto, é apenas aliviar.

O primeiro passo é investigar a causa, observando as nuances de tom. Nem sempre é tão simples, porém, porque tem gente com os dois tipos de olheira. Tratamentos clareadores não terão tanto efeito em quem, na verdade, precisa mesmo é melhorar a circulação local, usando cremes com substâncias próprias para isso. Por outro lado, ativos descongestionantes e calmantes – como o hamamélis, a camomila e a arnica – não resolverão tanto o excesso de pigmentos. Quando é assim, em casos mais acentuados, pode ser indicado até mesmo um tratamento a laser.

Cílios

Eles têm uma função nobre: literalmente espanam a poeira do ar antes que ela alcance o globo ocular e cause problemas. Mas são valorizados também por razões estéticas, especialmente pelas mulheres que desejam ter cílios cheios e longos – aliás, estamos em uma época em que o modismo é tê-los bem longos, quase de boneca. E, aí, é preciso tomar muito cuidado com os exageros para não haver um enorme arrependimento depois.

Hoje, por exemplo, existe remédio para tratar a hipotricose palpebral – o nome científico dado para o crescimento insuficiente de cílios. Esse é um problema que pode ter várias razões ao longo da vida, mas que, mais dia, menos dia, aparece com a idade. E, de fato, sem que a pessoa se dê conta, os cílios mais ralos envelhecem a aparência do olhar.

A medicação não só acelera o crescimento dos cílios, como também os deixa mais compridos, espessos e escuros lá pelo segundo mês de uso. Esse efeito foi descoberto quase por acaso, quando seu princípio ativo, o bimatoprosta, estava sendo testado para controlar o glaucoma, a pressão intraocular alta, e os cílios dos pacientes começaram a ficar cheios e vistosos. Parece tudo de bom, especialmente no caso de quem passou por quimioterapia para enfrentar um câncer e viu os pelos do corpo caírem. Mas, se a pessoa exagerar buscando resultados mais rápidos ou intensos, a coisa muda de figura.

O certo é usar uma única gota em cada pálpebra à noite, bem na base dos cílios, onde eles nascem na pele. Exceder essa dose não produz um aumento adicional de cílios. Na verdade, só causa problemas – tanto que o certo é enxugar o mínimo excesso que ameaçar escorrer, se houver. O remédio a mais pode escurecer a pálpebra, para começo de conversa. Ou, pior, escurecer para sempre a íris, a parte colorida do olho. Sem contar que, ao ter contato com o globo ocular, altera não só a sua pressão interna, como também provoca inflamações e reações alérgicas que podem ser bem sérias.

Outro perigo é o uso indiscriminado de cílios postiços. Eu mesma gosto de usá-los de vez em quando, mas o problema é a cola, que nunca pode ser aplicada em demasia e que precisa ser completamente retirada à noite. Esse, inclusive, é o problema dos chamados cílios permanentes, colocados com uma cola especial que os deixa grudados nas pálpebras por cerca de 30 dias. Não se engane: à primeira vista, pode parecer lindo diante do espelho, mas essa cola acaba gradualmente com os folículos pilosos. Então, a pessoa que os coloca se vê, depois, com fios cada vez mais escassos. Não é só que foram arrancados junto com a cola – eles param de crescer! O que existe de "permanente" nessa saída é a destruição dos cílios.

Sobrancelhas

Mais uma vez, apelo para o bom senso: evite mudar o desenho natural de suas sobrancelhas deixando-as finas. Limpe apenas um fio ou outro que inventou de nascer afastado do restante, para deixá-las harmoniosas. Ou apenas apare aquele pelo que cresceu além dos limites. E só.

Pense no seguinte: quer queira, quer não queira, suas sobrancelhas ficarão ralas quando você envelhecer. E essa mudança no visual se tornará muito drástica ou acontecerá precocemente se você vive traumatizando os folículos onde nascem os fios com o uso constante de pinça. Depilação para limpar essa área, então, nem pensar! Evite a todo custo.

A maior de todas as roubadas, porém, é a maquiagem definitiva, feita com microagulhamento, como se fosse uma tatuagem encobrindo falhas. Esse tipo de procedimento tem um efeito adverso a curto prazo: ele traumatiza os folículos também. Então, se duvidar, a pessoa que estava interessada em disfarçar uma ou outra falha verá o problema aumentar.

No entanto, o mais grave acontece um bom tempo depois, quando a idade avança e a pele cede. Sim, sua testa vai cair um dia. Inevitavelmente. E essa tatuagem vai descer junto, como se você ganhasse uma sobrancelha totalmente fora de lugar. Por isso, fico ainda mais inconformada quando vejo meninas de 15, 20, 25 anos fazendo essa ou qualquer outra maquiagem definitiva, sem noção de que sua pele mudará de lugar e se acomodará de outro jeito com o tempo. Na minha opinião, é simplesmente inaceitável que se submetam a algo assim.

PROBLEMAS NA ÁREA DOS OLHOS

Quais são os mais comuns e o que pode ser feito

- **Dermatite seborreica** – Ela lembra uma caspinha nos cílios. O problema desaparece se você adota o hábito de lavá-los diariamente com xampu para bebês, enxaguando-os com bastante água.
- **Mílias** – São lesões esbranquiçadas nas pálpebras, quando os folículos onde nascem os cílios ou até mesmo os ductos por onde sai o suor ficam entupidos com sebo. Para eliminar as mílias, o dermatologista precisa perfurar cada lesão com uma agulha finíssima e esterilizada para, na sequência, espremer até sair dali a massa de gordura endurecida. Não ficam marcas. Para evitar que as mílias voltem, porém, o médico pode prescrever cremes específicos, com doses baixas de ácidos.
- **Siringomas** – São bolsinhas achatadas e avermelhadas de 1 a 3 milímetros que aparecem nas pálpebras quando há uma deformação das glândulas sebáceas ou sudoríparas, as quais

ficaram obstruídas por algum motivo – por exemplo, pelo uso abusivo de produtos inadequados. Só tem um jeito: usar o aparelho de eletrocauterização para queimá-las.

▶ **Terçol** – Ele, na verdade, é um cisto, que aparece com maior frequência na pálpebra superior, justamente porque ela costuma ter uma quantidade maior de cílios e, junto de cada fiozinho, há uma glândula sebácea. Se o canal de uma delas fica entupido – por causa de produtos inadequados, traumas ou até mesmo por mudanças drásticas no clima –, o sebo se acumula ali e acaba atraindo bactérias. Logo, inflama. Normalmente, seu sistema imunológico resolve o problema sozinho. No entanto, se o terçol cresce demais e passa a doer muito, talvez seja o caso de procurar ajuda no consultório. O dermatologista, então, irá liberar a passagem da glândula.

▶ **Xantelasmas** – São bolinhas esbranquiçadas de gordura nas pálpebras que, em geral, aparecem em quem tem colesterol muito alto. Nós, dermatologistas, podemos indicar cremes com ácidos, entre outras saídas, mas é importante, paralelamente, procurar outro especialista, como o cardiologista, para controlar o colesterol.

Minha Dica

Usar óculos escuros é fundamental em dias muito ensolarados, especialmente se você tiver olhos claros, com maior tendência a fotofobia. O motivo? Evitar que a claridade faça você viver contraindo os olhos, o que acelera demais o aparecimento de rugas. Mas atenção: faça as suas lentes em lugares confiáveis, para que elas tenham, de fato, filtro contra os raios solares. Não digo isso por causa da pele, mas para proteger os olhos propriamente, já que as pupilas se dilatam por trás das lentes escuras e, se forem óculos fajutos de camelô, isso fará com que passem através delas mais raios, agredindo as lentes naturais do globo ocular e causando catarata, por exemplo.

Também é importante relacionar a aparência do olhar com quadros de rinite, sinusite, bronquite. Quem apresenta essas alergias geralmente vive com os olhos congestionados e, atenção, têm muita sensibilidade aos cremes. Portanto, se for o seu caso, cuidado ao escolher o que vai passar na pele dessa região. Se ela inflama e desinflama o tempo inteiro, na certa você apresentará flacidez nas pálpebras mais cedo.

10

Acne: pontos críticos

Até mesmo quem acha que a acne não é com ela, porque nem teve espinhas na adolescência, um belo dia pode acordar com essa má surpresa. Aliás, é o que acontece com aproximadamente 11% dos adultos entre 25 e 44 anos. Pouca gente sabe, mas na verdade o problema pode surgir em quase qualquer idade, até mesmo em recém-nascidos.

A acne neonatal, provocada pelos hormônios da mãe, trata-se de algo que venho observando com maior frequência. Devido aos tratamentos para engravidar, cada vez mais comuns, as mulheres tomam hormônios que acabam passando para o bebê, que nasce cheio de espinhas.

Mas não é preciso entrar em pânico, já que em um ou dois meses a acne neonatal tende a sumir como que por encanto. O importante é que a pele do bebezinho seja muito bem limpa. Em alguns casos, até indico certos sabonetes para a acne, só que muito diluídos, na proporção de 1 tampinha para 2 ou 3 de água. E, claro, não é para ninguém mexer nem sequer de leve nas espinhas do bebê.

A acne também pode aparecer na primeira infância, assim como em meninos e meninas de 11 ou 12 anos, logo no início da adolescência. Mais uma vez, talvez a causa seja algum tratamento hormonal – por exemplo, feito para retardar ou antecipar a puberdade por diferentes razões, como problemas de crescimento. E a acne pode ser um dos efeitos adversos dos tratamentos para crescer. No entanto, geralmente não é nada disso, e sim um problema de tendência familiar, quando a acne também acometeu o pai, por exemplo. É quando digo que a genética está na cara. Só que, para ser sincera, é raro alguém nessa faixa de idade ter uma acne importante.

Normalmente, as lesões aparecem para valer mais tarde, em torno dos 15, 16 anos. E existe ainda a acne da mulher adulta, em que eu preciso não apenas pesquisar toda a parte hormonal por meio de exames de sangue, mas também afastar a existência de problemas como ovários policísticos e endometriose, que também desregulam os hormônios. E, principalmente, não posso deixar de lado o estado emocional. Isso porque, na minha opinião, o estresse tem muito a ver com essa história.

Por falar em mulheres, por causa das oscilações de hormônios do organismo feminino, elas são naturalmente vulneráveis à acne ao longo da vida. Praticamente todas já foram premiadas com uma espinha no rosto durante o período pré-menstrual, fase em que os casos de acne pioram devido à ação dos hormônios sobre as glândulas sebáceas.

Oleosidade em alta

Se você reparar, todos os fatores por trás da acne, sejam os genéticos, sejam os hormonais – ou os emocionais, que indiretamente provocam desequilíbrios nos hormônios – têm algo em comum. Eles aumentam a oleosidade da pele. A hereditariedade pesa bastante. Se os pais tiveram pele oleosa e espinhas, a probabilidade do filho apresentar essa mesma característica é grande, embora estresse e distúrbios endócrinos também aumentem a produção das glândulas sebáceas.

Quando elas trabalham além da conta, o sebo obstruiu os poros e essa gordura, uma vez que não encontra saída, cria um ambiente muito favorável ao crescimento de bactérias, com destaque para *Propionibacterium acnes*. Elas, por sua vez, desencadeiam uma reação de inflamação no corpo. Isso costuma acontecer, principalmente, no que chamamos de zona T – formada por testa, nariz e queixo –, no peito e nas costas.

Existe ainda uma acne que chamamos de cosmética. É quando você usa produtos inadequados, muito pesados para o seu tipo de pele, e eles próprios entopem os poros. Felizmente, é uma acne que tem aparecido menos, porque a indústria evoluiu bastante e hoje deixa mais claro nos rótulos para quem o cosmético é indicado.

Não são apenas espinhas

Eu poderia dizer que a acne é uma coleção de pequenas lesões que podem aparecer todas juntas ao mesmo tempo ou isoladamente.

- **Cravo** – Nós, dermatologistas, também o chamamos de comedão. É quando o sebo não consegue escoar pelo folículo pilossebáceo, o canal comum por onde sai tanto o pelo quanto a produção da glândula sebácea. Portanto, a gente pode dizer que o cravo é um sebo que ficou preso.
- **Espinha** – Ela já é um pontinho inchado e vermelho, dolorido e sensível ao toque. Isso porque, na espinha, já começou um processo inflamatório.
- **Pápula** – É uma lesão avermelhada mais firme e mais elevada.
- **Pústula** – É quando a saída daquele canal que estava entupido se rompe e sai pus por essa abertura.

- **Nódulo** – É uma lesão interna provocada por todo esse processo, mais profunda e endurecida.
- **Cisto** – É outra lesão interna, só que bem inflamada e repleta de pus.

Tratamento conforme a gravidade

Minha primeira indicação é básica e importante em todos os casos, dos mais leves aos mais severos: quem tem a pele oleosa deve mantê-la bem limpa, sem deixar acumular oleosidade. Na prática, isso significa lavar bem de manhã, procurar repetir essa limpeza no horário do almoço ou, ainda, depois de qualquer atividade esportiva mais intensa, e antes de dormir, sempre.

Esse cuidado diário se completará com o que for indicado pelo dermatologista. Não tente dar conta da acne sozinho. É esse especialista que, depois de investigar as causas – se elas têm mais a ver com a genética ou com questões hormonais, por exemplo –, poderá prescrever os produtos antiacneicos corretos, os tratamentos mais adequados feitos em consultório e até mesmo medicamentos capazes de promover uma cura definitiva, que são mais fortes e vão exigir um acompanhamento clínico.

Para definir uma estratégia, o primeiro passo é avaliar qual o grau da acne.

Grau 1: leve

Como ela é: a pele apresenta vários cravos. Os pontos brancos indicam que eles ainda estão fechados. Já os pontos pretos são cravos abertos e o que você enxerga é uma massa formada por células mortas e sebo.

Como pode ser tratada: o foco principal aqui é a limpeza feita no dia a dia, mas com produtos específicos para pele acneica ou oleosa. A limpeza de pele realizada por um profissional, na frequência indicada pelo dermatologista, também ajuda. É importante incluir esfoliações na rotina para diminuir a espessura da camada de queratina na superfície cutânea. Quando ela se torna muito espessa, os poros ficam obstruídos com mais facilidade. Usar um gel à base de ácido salicílico, que elimina essas células mais superficiais e ainda ajuda a contrair os poros, pode ser indicado. Recado fundamental: nunca cutuque os cravos. Isso pode infectá-los e inflamá-los e, daí, essa acne se tornar grau 2.

Grau 2: moderada

Como ela é: além dos cravos, ela já possui algumas espinhas e, talvez, até mesmo pápulas e pústulas.

Como pode ser tratada: a limpeza dia após dia com sabonetes para peles com acne ou oleosas continua sendo fundamental, bem como a limpeza de pele realizada em consultório. Aqui, mais do que indicar algo para diminuir a espessura da camada de queratina, é preciso entrar com formulações anti-inflamatórias e, eventualmente, até bactericidas.

Mas muita atenção: bactericidas só devem ser usados por tempo determinado para não criar resistência. Em alguns casos, vale aplicar antibióticos, mas só sobre aqueles pontos onde estão as lesões muito inflamadas, sem espalhar por tudo para não desequilibrar toda a microbiota. Às vezes, atendo pacientes que estão usando antibióticos há mais de cinco anos, o que torna o tratamento muito complicado. O mesmo vale para corticoides, que podem ser indicados para atenuar a inflamação, mas jamais ser usados por tempo prolongado. A ação deles é sistêmica – caem na corrente sanguínea e agem da cabeça aos pés – e, ultrapassado o tempo ideal, acabam piorando o estado da pele em vez de ajudarem.

Grau 3: de moderada para severa

Como ela é: essa pele apresenta cravos, espinhas, pápulas, pústulas e alguns poucos cistos.

Como pode ser tratada: em relação à limpeza, vale a mesma orientação dada para a acne grau 2. Mas, no grau 3, posso indicar cremes de uso tópico à base de isotretinoína, que devem ser aplicados bem em cima das lesões. Às vezes, é necessário receitar um antibiótico por via oral por 60 dias. Essas medicações precisam não só serem receitadas por médicos, mas também de um acompanhamento.

Grau 4: severa

Como ela é: mal conseguimos enxergar áreas de pele que não estejam cobertas de cravos, espinhas, cistos inflamados, nódulos doloridos e cicatrizes.

Como pode ser tratada: podem se somar aos cuidados e ao arsenal terapêutico os comprimidos de isotretinoína. A substância à base de um derivado da vitamina A ácida reduz o tamanho das glândulas sebáceas e a própria produção de sebo. Além disso, amolece a queratina na superfície cutânea, que muitas vezes impede essa gordura de sair pelos poros. E, de quebra, alivia a inflamação. O problema dessa medicação é que ela apresenta muitos efeitos colaterais. Por isso, deve ser reservada aos casos mais graves.

Ela é capaz de alterar as taxas de colesterol, triglicérides e de enzimas do fígado. Além disso, claro que a isotretinoína não diminui as glândulas sebáceas só naquelas regiões do corpo que apresentam acne. Quem toma o remédio sente até a boca ressecar, sangrando à toa.

No entanto, o efeito colateral que mais nos preocupa é o risco de malformações fetais. Por isso, as mulheres não podem engravidar durante o tratamento – e até mesmo dois ou três meses depois de interromperem o uso desse medicamento. Eu sempre as encaminho ao ginecologista, para que usem concomitantemente um método contraceptivo. Acho que nem preciso dizer que essa medicação não pode ser prescrita para grávidas, nem para quem está amamentando.

Os peelings feitos no consultório

Eles podem ajudar bastante. O de ácido salicílico, por exemplo, resolve casos mais leves, sem provocar uma grande descamação. Ele remove apenas as células mortas mais superficiais e pode ser repetido sempre que o médico achar necessário.

Quando a pessoa precisa de um tratamento mais potente para atenuar as marcas deixadas pela acne, posso indicar substâncias, como a resorcina, que já fazem a pele descamar. Então, surge uma camada nova e muito mais uniforme. Para um bom resultado, costumo recomendar seis sessões com um intervalo de cerca de 15 dias entre elas.

O mais poderoso dos peelings é o de ácido retinoico. Ele promove, digamos, uma raspagem maior da pele, combatendo todos os graus de acne. Pode ser aplicado uma vez a cada semana ou a cada duas semanas e repetido por apenas seis vezes, não mais. Por uns dias, a pele fica vermelha e descascando.

A alimentação e as espinhas

A pergunta que sempre me fazem é sobre o chocolate. O cacau, em si, não provoca acne, mas o consumo em excesso de barras, bombons e outras delícias feitas com esse ingrediente pode contribuir de maneira indireta, já que o chocolate tem uma boa porção de gordura, especialmente o ao leite e o branco. E o problema está nela.

É como se o consumo exagerado de alimentos muito gordurosos fornecesse matéria-prima para a pele produzir mais e mais sebo. E se existe uma tendência à acne... Certa vez, foi feita uma pesquisa que, no jargão da ciência, chamamos de estudo de observação de caso. Um indivíduo passou o mês inteiro se alimentando apenas de *junkie food*: nesses trinta dias, suas refeições eram à base de hambúrgueres, batata-frita e guloseimas doces e gordurosas. No final, ganhou peso, o que era de se esperar. Mas também ficou com pele e cabelos muito mais oleosos e desenvolveu acne!

No Brasil, por ser um país tropical e quente, é ainda mais importante prestar atenção ao prato, para que ele seja mais equilibrado. Não à toa, percebo mais casos de acne ou de piora dela depois das festas de fim de ano. As receitas típicas natalinas, inspiradas no clima do Hemisfério Norte, com nozes, castanhas e outros itens gordurosos, não combinam com o calor. Enquanto elas oferecem o ingrediente para as glândulas produzirem o sebo, o calor faz a pele acumular mais sujeira, criando as condições para formar o que apelidamos de rolha dérmica, tapando os poros.

O efeito rebote do sol

Por falar em calor, a gente sempre escuta aquela história de que tomar sol ajuda porque seca as espinhas. Pode, de fato, acontecer. Mas esse é um efeito temporário e bastante enganoso. O bronzeamento disfarça alguns pontos mais avermelhados e promove um ressecamento, sim. A glândula sebácea até diminui, mas, dias depois, volta a secretar sebo com tudo. A oleosidade aumenta nesse efeito rebote. E, pior, a camada superficial da pele também pode se tornar mais espessa, o que contribui para obstruir os poros.

Sem contar que o uso de protetores solares sem a orientação do dermatologista pode contribuir para essa obstrução. Usar filtro solar sobre as espinhas, porém, é obrigatório. Só que ele deve ser oil-free e, de preferência, em versão gel para não agravar a situação.

Minha Dica

Lavar bem a pele com sabonetes específicos para acne é a medida primordial, como já expliquei. Para complementar essa limpeza – de manhã, no meio do dia e à noite, no mínimo –, é bom passar uma loção adstringente, que ajuda a fechar os poros, como as fórmulas à base de hamamélis.

Também é importante, no caso das mulheres em especial, marcar não apenas a consulta com o dermatologista, mas também com o ginecologista. Se a causa da acne for um ovário policístico, por exemplo, ele poderá recomendar o uso de pílula anticoncepcional para bloquear a produção exagerada de hormônio masculino, ao aumentar os níveis de hormônio feminino – sim, a testosterona também está presente em doses ínfimas nas mulheres e aumenta a oleosidade da pele.

Finalmente, por segurança, corte bem as unhas. Você não faz ideia na quantidade de micróbios que pode encontrar nas mãos, especialmente sob elas. E, quando têm acne, sem que se dê conta, as pessoas cutucam a pele o tempo inteiro.

Existe até mesmo uma forma de acne que os especialistas dizem ser do tipo neurótica: a pessoa manipula tanto a pele, apertando e arranhando, que forma um buraquinho no local. Mas o pior é que infecciona e, com muita frequência, a situação da acne piora e chega a saltar um grau. Quem cutuca cravos e espinhas sabe bem do que estou falando!

Por isso, fica a dica: cortar as unhas é uma atitude bem-vinda, ao menos até o problema de pele desaparecer.

11

A pele à espera de um bebê

Durante a gravidez, os hormônios em alta, secretados até mesmo pela placenta, desempenham um papel central. E, como hormônios sempre têm uma íntima relação com a pele, é fácil deduzir que nós precisamos ser bem tolerantes com alguns efeitos colaterais causados por suas taxas elevadas. Afinal, elas ficam assim nas alturas por um ótimo motivo.

O teste positivo, confirmando a gravidez, já deveria valer uma visita ao dermatologista. Porque as mudanças não tardam a aparecer e algumas situações, acompanhadas a tempo, podem ser controladas no comecinho dessa jornada de nove meses. Atenção: devem ser controladas, e não combatidas.

Na gestante, a ebulição hormonal leva as glândulas sebáceas a trabalharem muito mais do que o habitual logo nos primeiros meses. Por isso, a pele e os cabelos se tornam mais oleosos do que de costume. Daí que podem surgir cravos e espinhas e, no caso de mulheres que já tinham acne, o problema tende a se agravar. Aliás, tenho pacientes em que esse foi um dos primeiros sinais de que havia algo diferente acontecendo no corpo.

A sensibilidade aos raios solares também aumenta bastante, o que favorece o aparecimento de manchas. Independentemente da exposição ao sol, o estímulo extraordinário dos hormônios femininos nessa fase torna a pele mais escura. Pode-se notar, por exemplo, nas aréolas mamárias. Mas não só nelas. Virilha e axilas podem escurecer bastante. E, na verdade, quem tem pintas pelo corpo percebe que elas ficam mais escuras e marcantes.

Sem dúvida, é preciso cuidar de tudo isso, mas de um jeito equilibrado, acolhendo com serenidade todas essas mudanças, porque esse é um momento único, de realização pessoal e, eu diria, até espiritual. Sinto que muitas pacientes ficam tão ansiosas com uma coisinha ou outra na aparência da pele que deixam de vivenciar completamente a gravidez como uma fase gratificante. Mas reconheço que, para algumas, pode ser mais complicado.

Costumo dividir as gestantes em dois grupos: as que engravidam normalmente, e que também apresentarão mudanças na pele, e as que decidem ter filhos mais tarde, fazendo, muitas vezes, tratamento para conceber. Nesses casos, até do ponto de vista dermatológico, as gestações são mais peculiares.

Existe algo que é difícil precisar, que seria o efeito do estresse. Ele, claro, não é prerrogativa de quem fez um tratamento para ter filhos, mas talvez seja mais frequente nesse contexto. Depois de tentar ficar grávida por muito tempo, essa mulher tende a estar mais ansiosa e, como já sabemos, as emoções abalam a pele.

No entanto, o que posso garantir sobre as mulheres que fizeram tratamento para engravidar é que se trata de pacientes que, ao longo de vários meses, se submeteram a estímulos hormonais. Elas, portanto, têm um organismo embebido em estrogênio e progestogênio, a dupla de hormônios femininos, favorecendo ainda mais os inchaços, a formação de vasinhos, o aparecimento de acne – às vezes, durante o próprio tratamento para engravidar – e, claro, os famosos melasmas.

Para não ficar com manchas

Todos nós temos uma determinada quantidade de células que produzem o pigmento melatonina, que são os melanócitos. Só que o estrogênio costuma deixá-las, digamos, bem mais ávidas. Isso já aconteceria naturalmente em qualquer gestação; agora, imagine no caso de uma mulher que, meses antes, passou a receber doses extras desse hormônio!

Costumo dizer que, até mesmo nos dias mais nublados, as grávidas só deveriam sair de casa usando um bom filtro solar com fator de proteção 30, no mínimo. A luz do sol aumenta ainda mais a produção desses pigmentos, que, acumulados, formam manchas amarronzadas, difusas, bem maiores do que uma simples sarda. São os tais melasmas, encontrados em 75% das mulheres que estão esperando bebê.

Eles aparecem nos dois lados do rosto, especialmente nas bochechas, no queixo e no buço, assim como no colo, porque são regiões que ficam mais expostas e também porque a face tem uma pele mais fina e vulnerável a formar manchas com o sol. Mas já vi grávidas com melasmas até nos braços.

Parceria com o obstetra

Na minha opinião, o dermatologista precisa trabalhar sempre ao lado do obstetra, que é o grande responsável por conduzir a gestação da melhor maneira possível para mãe e filho. Ele tem maior autoridade nessa fase, e eu brinco que danço conforme a música. Mas, sinceramente, é o certo.

Explico isso com o seguinte exemplo: se eu olhar só para a pele, posso querer que toda grávida não só cuide da alimentação balanceada, mas também faça exercícios. Isso porque, ao prevenir o ganho excessivo de peso na gestação, a atividade física indiretamente também evita as estrias, sobre as quais falarei no capítulo seguinte, e que são um problema a ser tratado pelo dermatologista. No entanto, o médico obstetra pode avaliar que aquela grávida não deve se movimentar tanto, por ela correr algum risco. Algumas gestantes, a gente sabe, chegam a precisar de repouso absoluto. E, nessas horas, a palavra do ginecologista é soberana.

A seguir, elenco algumas dúvidas que surgem no meu consultório no período da gravidez. Deixo aqui a minha opinião como dermatologista. Mas, mesmo nos tratamentos que eu consideraria permitidos, a palavra final deve ser do obstetra. E a gente, claro, sempre poderá trabalhar em equipe.

Pode tingir os cabelos?

No passado, eu falava para as gestantes evitarem a todo custo tinturas permanentes, preferindo, no lugar, os tonalizantes que saíssem nas lavagens – e, mesmo assim, só a partir do terceiro mês completo e sem aplicá-los nas proximidades da raiz. Hoje, porém, as formulações mais modernas de tinturas não têm amônia, nem chumbo. Portanto, são mais seguras.

No entanto, aconselho que essa tintura só seja utilizada após a décima sexta semana de gestação. Sim, a partir do quarto mês. É que, por mais que as formulações tenham mudado, os primeiros meses são cruciais para a formação do feto e não faz sentido na mãe se expor a tais ingredientes. Sem contar que – volto a frisar –, apesar de considerar as novas tinturas seguras, muitos obstetras não liberam o seu uso e a palavra deles deve ser respeitada.

Pode fazer alisamentos, escovas definitivas e procedimentos do gênero?

Se quer minha opinião, embora alguns obstetras permitam certos procedimentos após o quinto mês, a resposta é não. E justifico: existe escova definitiva sem formol? A resposta, novamente, é não. O que acontece com uma proteína, como a dos fios, a partir dos 40 graus Celsius é que ela gera formoldeídos, moléculas da família do formol, que pode fazer mal ao bebê. Eu, particularmente, não vejo sentido.

Pode fazer depilação com cera?

No primeiro e no último trimestre, o melhor é evitar. No início da gravidez porque, por azar, um trauma ou outro descuido é capaz de provocar uma inflamação, a foliculite, que deverá ser tratada com antibióticos em alguns casos. Repito: nada justifica que uma gestante no primeiro trimestre exponha seu bebê a substâncias químicas sem necessidade, e isso vale para remédios. Claro que, se ela já fizer uso de alguma medicação, a continuidade do tratamento será avaliada. Mas isso é diferente de tomar antibióticos por um problema na depilação. Para que correr minimamente o risco, por mais raro que ele possa parecer?

No final da gravidez, por sua vez, peço para evitar a depilação por excesso de zelo. Alguns estudos mostram que dores agudas podem acelerar o trabalho de parto. E, de novo, pergunto: para quê? O melhor é – com exceção do segundo trimestre de gestação – trocar a cera pela lâmina descartável.

Pode clarear os pelos?

Eu oriento as gestantes a não clarearem. Isso porque sabidamente toda grávida está mais sujeita a processos alérgicos, e eles podem surpreender até mesmo aquelas que sempre fizeram clareamento. Se alguém quiser muito – frisando que sou contra, pelo risco de alergias –, então que ao menos siga à risca a recomendação de fazer um teste passando o descolorante em uma pequena área do antebraço e esperando 24 horas para checar se o local não ficou irritado. E, ainda assim, esse procedimento só deveria ser feito uma vez por mês.

Pode fazer tratamentos com laser?

A imensa maioria dos obstetras não permite. Portanto, o melhor é cancelar sessões que já estavam agendadas ou tirar da cabeça a ideia de iniciar esse tipo de tratamento. Mas não é para nenhuma mulher ficar muito aflita se fez laser antes de descobrir que estava grávida, já que não existem evidências científicas de que ele prejudique o bebê. A proibição é, antes de tudo, por cautela. E tem mais: se o que se pretendia era fazer algum laser para atenuar manchas, eu digo que seria "secar gelo". Você usaria o laser para clarear as já existentes e o corpo continuaria formando manchas novas. Melhor deixar para depois.

Pode fazer peelings para amenizar manchas?

Indico apenas os peelings mais superficiais, à base de ácido salicílico ou glicólico, porque não são absorvidos e, portanto, não há o menor risco para a criança. Eles ajudam a diminuir a oleosidade, secar eventuais espinhas e, sim, aliviar as manchas. Conforme o estado da pele, posso orientar para que seja repetido a cada três meses.

Pode usar cremes rejuvenescedores?

As grávidas devem abandonar completamente cremes e loções com ácido retinoico, que são capazes de afetar a formação do bebê. Podem usar formulações à base de vitamina C, resveratrol, elastina, alfa-hidroxiácido e ácido glicólico.

Pode aplicar toxina botulínica nas rugas de expressão?

De jeito nenhum! O consenso mundial é de que essa substância não deve ser aplicada em grávidas, nem em mulheres que estão amamentando.

Pode, então, preencher rugas?

É o que sempre falo: a gente precisa ter bom senso. Não só por causa de eventuais reações do organismo, mas também porque algumas marcas de expressão podem se alterar com a retenção de líquidos típica da gravidez. Eu prefiro esperar o bebê nascer, o líquido acumulado ir embora e o peso voltar ao normal para realizar um preenchimento que, sem dúvida, terá um resultado melhor e mais natural.

Pode tirar pintas do corpo durante a gestação?

Sim, pintas e manchas podem escurecer durante a gravidez. Mas, se a mulher notar que um sinal na pele mudou demais, ficou com bordas diferentes, está coçando ou algo assim, ela deve consultar um dermatologista para uma avaliação. Toda pinta diferente deve ser examinada. E, conforme o caso, o médico pode decidir esperar o bebê nascer para tirá-la, já que toda interferência na pele pode desencadear inflamações no organismo da grávida.

Pode tirar verrugas?

Atenção: as gestantes, quando existe uma tendência genética ao problema, podem apresentar pequenas protuberâncias na pele que lembram verrugas. Depois do parto ou, em alguns casos, depois de amamentar, essas falsas verrugas costumam cair sozinhas. Então, é melhor esperar para ver se é realmente necessário fazer qualquer procedimento.

Pode fazer drenagem linfática?

Desde que feita por um profissional especializado, ela é muito bem-vinda nessa fase. Ajuda a diminuir os inchaços, as dores e a sensação de peso nas pernas, especialmente na reta final da gravidez.

> **Minha Dica**
>
> *Na gravidez, mais do que nunca, é aconselhável beber muita água e não se descuidar da limpeza da pele*, usando loções e sabonetes neutros, em alguns casos com componentes levemente adstringentes para reduzir a oleosidade.
>
> O hidratante corporal é necessário, especialmente para evitar estrias. Mas preste atenção: ele nunca deve ser passado sobre os mamilos. É que a pele deles, ao contrário do restante, precisa ficar ressecada e áspera para suportar, depois, a amamentação.
>
> Por isso mesmo, o ideal é esfregar com suavidade uma bucha nessa região durante o banho e, se for possível, expor o bico dos seios ao sol, diariamente, por 15 minutos. Assim, aos poucos essa pele vai se tornando mais grossa e resistente, pronta para aguentar o bebezinho sugando sem rachar.

Outra preocupação das grávidas é com os cabelos. Eles costumam ficar fortes e maravilhosos durante a espera do bebê, e isso por causa da progesterona, que retarda a queda natural dos fios. Normalmente, perdemos no mínimo uns cem fios por dia e como, com a ação do hormônio, isso não acontece tanto, o resultado é uma cabeleira volumosa.

No entanto – e muitas grávidas se preocupam com antecedência porque escutam falar nisso –, a diminuição brusca da progesterona faz com que até 40% das estruturas onde se formam os fios, as matrizes do cabelo, entrem em fase de repouso, às vezes imediatamente após o parto, às vezes até seis meses depois.

Passado um tempo, em geral, tudo se normaliza. Mesmo assim, vale pedir ajuda ao dermatologista, que sempre poderá indicar xampus formulados para fortalecer os cabelos se por acaso eles ficarem muito ralos depois do parto.

12

Estria: estica, puxa e arrebenta

Pouca gente sabe, mas no fundo as estrias também são cicatrizes, só que provocadas pela distensão excessiva da pele, que não chega a se rasgar por fora, mas se rompe por dentro. As fibras elásticas de colágeno e de elastina, responsáveis por sua sustentação, é que se partem.

Quando isso acontece, há uma inflamação e o sangue inunda imediatamente o local da lesão. Por isso, o que surge primeiro são vergões avermelhados, ligeiramente inchados e que costumam coçar. Na fase seguinte, o que vemos é uma cicatriz deprimida, com pouca pigmentação e levemente arroxeada. Nessa nova etapa, ainda será possível fazer tratamentos para a marca desaparecer, mas a mudança de cor indica que já será bem mais difícil.

É apenas na fase em que a estria ainda é uma linha vermelha, que dura de uns três a seis meses no máximo, que os tratamentos conseguem com certeza apagá-la na sua totalidade. O problema é que muita gente nem dá a devida atenção ao risco discreto e avermelhado. Muitas vezes, para piorar, ele está em uma área mais complicada para a pessoa enxergar, como o bumbum, por exemplo, e a estria só será percebida quando já for tarde demais.

Como expliquei no início deste livro, o autoexame da pele é importante – e não apenas para flagrar pintas suspeitas, como muita gente imagina. As estrias são problemas que, embora benignos, também exigem uma ação imediata.

Passado um tempo – especialmente depois de dois anos –, elas formam fios longos e largos, graças ao avanço do processo de cicatrização. O tecido fibroso destrói de vez a melanina, o pigmento da pele, e o que se vê é uma marca não mais arroxeada, mas completamente esbranquiçada.

O problema pode acontecer tanto em homens quanto em mulheres, embora nelas seja um pouco mais comum. A hereditariedade, claro, sempre conta, mas diversos fatores funcionam como um empurrãozinho.

Entre os mais conhecidos, está o aumento brusco de peso, que faz a pele se esticar em um curto espaço de tempo. A gravidez, tanto pelo ganho excessivo de quilos extras em algumas mulheres como simplesmente pelo crescimento da barriga, também é um notório gatilho de estrias.

Elas ainda podem surgir com o estirão da puberdade, quando o adolescente cresce de uma hora para outra. E costumam ser mais frequentes quando o menino ou a menina fazem algum tratamento para crescer, que estica demais a pele, sem um tempo para a sua adaptação.

Independentemente disso, o fato é que tenho notado muito mais casos de estrias em adolescentes. A minha percepção clínica é de que a má alimentação, cheia de itens ultraprocessados no cardápio, contribui demais para isso, além de alavancar a obesidade entre os jovens. Tudo, então, se soma.

Quando uma mãe traz a criança para eu examinar, sempre enfatizo a importância da dieta, inclusive para evitar o ganho exagerado de peso. E peço que ensine ao filho ou a filha às vésperas da entrada na adolescência a usar um óleo hidratante após o banho, mesmo que seja do peito até a altura dos joelhos, que seria a faixa mais afetada pelo estirão.

Outra causa frequente de estrias é o uso indiscriminado de corticoides, tanto orais quanto tópicos, já que o medicamento fragiliza demais as fibras da pele. Eu, inclusive, sou muito reticente ao uso deles sem um bom motivo para isso. No passado, eles eram receitados a torto e a direito para tratar eczemas, por exemplo. De fato, você passa o corticoide e, dali a dois dias, o problema de pele melhora quase que por encanto, mas o preço a se pagar é alto. O certo seria trocar a saída fácil por outros cuidados, como tomar banho morno, usar sabonete específico, passar um óleo. E, infelizmente, algumas pessoas são mais imediatistas.

A pele ressecada e alguns distúrbios hormonais – que muitas vezes estão por trás desse ressecamento – entram na lista de fatores relacionados às estrias. E tem, ainda, o uso de anabolizantes, que, ao fazerem a musculatura inflar em um passe de mágica perigoso, acabam rompendo as fibras da pele, principalmente nos braços e nas pernas.

Para apagar
Para eu ter uma noção do quanto um tratamento poderá ser eficaz, além do estágio da estria, que deve ser o mais inicial possível, observo a idade do paciente e o grau de flacidez da pele. Em uma pele firme, o sucesso é maior. E existem algumas alternativas, escolhidas conforme a gravidade do caso.

Ácidos de uso tópico
Ao lado de hidratantes e de cremes formulados especialmente para combater estrias, eles podem acelerar a

formação de um novo colágeno, melhorando a aparência da região na fase inicial do problema.

Peelings feitos em consultório
Na verdade, têm o mesmo efeito dos ácidos, só que os resultados são mais acentuados porque é possível usar dosagens maiores dessas substâncias.

Mesoterapia com rupturas de fibras
Com agulhas especiais que lembram um leque aberto, são realizados movimentos específicos que provocam uma espécie de abrasão na área da estria e rompem as fibras. Na sequência, determinadas substâncias – como vitamina C, fibronectina e outras – são injetadas em todo o trajeto da linha criada pela agulha, estimulando a formação de um novo colágeno no local.

Tratamentos a laser
O laser provoca um aquecimento de toda a área do risco, o que estimula não apenas a formação de novas fibras de colágeno, como também reorganiza aquelas que foram rompidas, como se diminuísse as lacunas entre elas. Alguns tipos de laser agem também nos vasinhos de sangue. Na fase em que as linhas ainda estão vermelhas, o laser de luz pulsada, por exemplo, é capaz de apagá-las. Outros lasers podem ser indicados para casos mais avançados.

No caso das grávidas
Vale observar que tratamentos a laser ou com ácidos não podem ser feitos durante a gestação, quando muitas mulheres ganham estrias. Na gravidez, o que está ao alcance é prevenir o problema ou evitar que ele se agrave passando-se hidrantes mais untuosos, talvez várias vezes ao dia.

Depois que o bebê nasce, para não ficar uma estria de lembrança, não podemos perder tempo. Mas aí preciso ser clara: não uso anestésico em quem está amamentando. O tratamento a laser, então, terá de ser feito sem anestesia.

Minha Dica

O melhor é sempre prevenir. Por isso, a primeiríssima dica é controlar o peso para afastar o efeito sanfona. Engordar, emagrecer e, depois, engordar de novo ajuda a provocar estrias.

Beba, no mínimo, 2 litros de água todo dia – lembre-se do que já lhe contei, a hidratação também é de dentro para fora e impedir o ressecamento da pele diminui a probabilidade de uma estria aparecer. Além disso, não consuma sal além da conta. Ao reter água, o excesso de sódio ajuda a distender a pele, criando o risco de as fibras elásticas não suportarem.

No dia a dia, também use sempre um bom hidratante em todo o corpo ao sair do banho. E evite roupas muito justas, que não só atrapalham a boa circulação, como também entram em atrito com a pele.

Aproveito para reforçar a minha ressalva: nunca apele para a automedicação querendo resolver problemas crônicos, como eczemas e dermatites tópicas, porque você poderá ganhar estrias. Lembre-se de que o corticoide tem um efeito sistêmico, ou seja, cai na circulação sanguínea. Então, poderá provocar estrias até mesmo em áreas distantes daquelas onde o medicamento foi aplicado.

Se, por qualquer motivo, as estrias já apareceram, então aja depressa. Quando a linha ainda é vermelha, caprichar na hidratação ajuda bastante. Quando a marca começa a mudar de cor, porém, nada do que você fizer em casa terá muito efeito.

Se quiser usar cremes específicos para estrias, busque nos rótulos a presença de componentes como elastina, colágeno, ureia, alfa-hidroxiácidos e lactato de amônia. E, logo depois de passar o produto, complemente o cuidado espalhando uma fina camada de algum óleo umectante por cima. Gosto muito de indicar o de rosa-mosqueta ou o de sementes de uva, mas poderia ser qualquer outro – cá entre nós, até o azeite de oliva. Essa camada de óleo é fundamental para evitar que as substâncias do seu creme contra estrias escapem.

13

A lembrança das cicatrizes

Não importa se é o buraquinho aberto por uma espinha ou o corte de uma grande cirurgia – sempre que a pele se rasga, o organismo entende essa lesão como uma ameaça. Afinal, por essa ruptura no tecido pode sair o sangue, que é um fluido vital, ou entrar um micróbio causador de doenças. Daí que ele entende que precisa fechar depressa essa abertura, sem dar chance para qualquer problema. Inicia-se, assim, o processo da cicatrização.

A primeira coisa que acontece é a coagulação do sangue, sempre das bordas do ferimento em direção ao centro, formando a popular casquinha. Na sequência chegam as células de defesa para fazer uma espécie de limpeza no local, destruindo microrganismos que se aventuraram a entrar por essa fenda e até mesmo fibras esgarçadas da própria pele.

A concentração das células de defesa na área machucada deixa a região inchada. O inchaço não é causado apenas pela fase inflamatória, mas também pelo acúmulo de colágeno produzido a mil pelos fibroblastos a fim de fechar a ferida. Afinal, é o colágeno que emenda as pontas das fibras de cada lado do machucado, armando uma rede sobre a qual vai se formar a pele nova.

Mas o buraco em si é tapado por um tecido fibroso, sem pelos nem poros. É a cicatriz. Ela pode ser mais ou menos discreta, conforme uma série de fatores. Claro que o tamanho da ferida conta, se pontos foram necessários e como foi realizada essa sutura. Até a localização faz diferença.

A pele cicatriza melhor se o corte tiver acontecido em uma região com muitas glândulas sebáceas. Por isso, as marcas tendem a ser mais visíveis nos pés e nas mãos, porque há uma quantidade menor dessas glândulas nas extremidades do corpo.

Três tipos de cicatriz

De um arranhão à acne, toda lesão na pele pode deixá-la marcada. A questão é como será essa lembrança do que um dia a machucou.

Atrófica – Também chamada de deprimida, essa cicatriz é uma linha afundada como se o material produzido para cobrir o rasgo ficasse abaixo do nível da pele.

Como apagar?

Para amenizar essa marca, o médico pode aplicar um anestésico local e fazer um corte em círculo ao redor. Sem desprender a cicatriz do tecido, ele a puxa para cima, até a altura certa, e a fixa nesse lugar com um pontinho. Outra opção pode ser tirá-la de vez, cobrindo a área com um enxerto – por exemplo, da pele extraída da parte de trás da orelha do próprio paciente.

Podemos, ainda, apelar para preenchimentos capazes de nivelar uma cicatriz atrófica. Qualquer que seja o tratamento escolhido, sempre é bom complementá-lo com peelings.

Hipertrófica – É o contrário da atrófica, porque se trata de uma cicatriz alta, larga, avermelhada. Ela acontece quando o organismo produz uma quantidade exagerada de tecido fibroso para fechar um corte. Mas, ao menos, ele fica contido nessa linha de pele que foi cortada e, em geral, surge logo na primeira semana após o machucado e depois estaciona, isto é, para de crescer.

Como apagar?

Às vezes, a cicatriz hipertrófica precisa ser retirada ou reduzida cirurgicamente antes de você iniciar o tratamento com lasers para diminuí-la e cleará-la. Também é possível fazer sessões de betaterapia, um tipo de radioterapia que ajuda a diminuir as fibroses.

Queloide – Nessa cicatriz, a quantidade de tecido fibroso é tão grande que transborda os limites da lesão original. Ou seja, não é apenas uma marca alta. Ela pode ficar com diferentes formatos, às vezes lembrando até mesmo uma couve-flor. A pele oriental e a negra têm maior tendência a queloides.

Aliás, é importante enfatizar que não é todo mundo que pode desenvolver uma cicatriz dessas. No entanto, no outro extremo, se a tendência da pessoa para tal for muita, qualquer machucado bobo poderá desencadeá-la, até mesmo ao arranhar a pele, tirar uma pinta, furar as orelhas ou fazer uma tatuagem.

Uma coisa curiosa é que esse tipo de cicatriz nem sempre aparece depressa. Existem casos em que ela vai crescendo durante meses, o que tem o seu lado bom, porque nos permite interferir para evitar o seu avanço. Portanto, se alguém já apresentou queloide, sempre deverá correr ao dermatologista antes de se submeter a uma operação ou logo depois de se ferir em um acidente, a fim de tomar algumas medidas preventivas.

Como apagar?

Não existe um único tratamento que seja certeiro para uma cicatriz desse tipo. Normalmente, preciso examiná-la com atenção para combinar duas ou mais terapias.

A cirurgia, sozinha, nunca resolve: se eu simplesmente arrancar esse tipo de cicatriz, ela voltará a crescer onde foi cortada. Por isso, quando é feita uma cirurgia, ela é complementada, por exemplo, com injeções de corticoides e de outros medicamentos capazes de fazer o tecido fibroso encolher.

A radioterapia é um dos tratamentos que costumam ser indicados sem muita perda de tempo após a retirada de um queloide. Ela ajuda a impedir que a queloide cresça de modo exagerado outra vez.

Também são usados alguns artifícios, como placas especiais com silicone para comprimir a região que sofreu um corte, os quais diminuem a circulação local e ajudam a prevenir o crescimento de um novo queloide.

Tratamentos a laser, no caso, são capazes de reduzir a largura e atenuar o tom violáceo de um queloide já existente. E finalmente podemos lançar mão da crioterapia. Nesse tratamento, é como se o queloide fosse congelado de dentro para fora, e, assim, ele acaba diminuindo. Funciona bem, na minha opinião, quando a cicatriz não é muito grande.

Minha Dica

Hoje existem pomadas que o dermatologista pode receitar para favorecer uma boa cicatrização, que não deixa grandes marcas. Mas você também precisa fazer a sua parte. E, nesse sentido, o cuidado com a hidratação deve ser redobrado, não só usando cremes e loções com essa finalidade, como também bebendo bastante líquido ao longo do dia. Sim, uma pele bem hidratada cicatriza muito melhor.

A dieta também tem o seu papel. Não podem faltar proteínas no prato para que aconteça uma boa reparação dos tecidos. Mas dê preferência àquelas de alto valor biológico, como a das carnes. Além disso, consuma fontes de vitamina C, porque esse é outro nutriente fundamental para a pele.

Se alguém da sua família tem queloide ou cicatrizes hipertróficas, fique mais atento, porque existe o componente genético. Como já disse, é bom procurar o dermatologista antes de qualquer tipo de procedimento cirúrgico ou se sofrer um machucado. Ele poderá receitar, por exemplo, placas de silicone-gel para você colocar sobre o corte. Adesivas, com ação contínua, elas só precisam ser trocadas depois de vários dias. Além de manterem a pele hidratada, ajudam a conter a cicatriz.

Mas não importa se a sua pele costuma cicatrizar bem, isto é, sem formar marcas exageradas: se você tomar sol na área em que uma cicatriz está se formando, ela ficará muito mais marcada. Portanto, caso você se machuque, recomendo que aplique sempre uma boa camada de filtro solar quando a ferida já estiver fechada. Reaplique o protetor quantas vezes forem necessárias.

14

Sob o sol

Se eu fosse obrigada a escolher um único produto para cuidar da minha pele e nenhum outro mais, já teria a resposta na ponta da língua: minha escolha seria o protetor solar. É esse filtro que vai barrar a radiação que está por trás de manchas, do envelhecimento precoce e acentuado e, claro, dos cânceres de pele. O filtro solar é insubstituível em qualquer estação do ano, até nas mais frias, todos os dias e até mesmo dentro de casa ou do escritório.

Então talvez surja a pergunta: mas tomar sol é algo tão ruim? E mais uma vez vou apelar para o bom senso, já que ninguém pode negar que tomar sol é gostoso, seja na praia, seja na piscina ou em uma simples caminhada sob um céu azul radiante. A luminosidade do sol – já bastante estudada – aumenta, inclusive, a produção de serotonina, o neurotransmissor que provoca a sensação de bem-estar no cérebro. Sabemos disso até mais intuitivamente, porque todo mundo já experimentou pelo menos uma vez na vida a tendência à melancolia em dias mais cinzentos.

Sem contar que é a radiação solar alcançando a pele que faz com que ela produza a vitamina D, substância capaz de fixar o cálcio nos ossos, mantendo-os fortes, e que, hoje em dia, vem sendo cada vez mais pesquisada por uma série de outros benefícios à saúde. No entanto, ninguém precisa de mais do que 15 minutos de exposição ao sol por dia para obter toda vitamina D a que tem direito. E digo mais: para isso, o ideal é se expor sempre antes das 10 horas da manhã ou depois das 4 da tarde.

No intervalo entre esses dois horários, os raios solares deixam de nos fazer tão bem e se tornam, ao contrário, perigosos. E o pior é que o efeito é cumulativo. Acredite: todo o sol que você tomou na vida, desde a mais tenra idade, conta para aumentar mais ou menos a sua tendência a rugas, manchas e – o que é mais grave – tumores. Não à toa, os trabalhos científicos mostram que o uso rotineiro de filtro solar desde a infância até os 18 anos reduz o risco de um câncer de pele em 85%.

Os tipos de radiação solar

Antes de entender o que acontece com a pele, você precisa saber como agem os raios solares, que, ao atravessarem a atmosfera terrestre, se dividem em três faixas de comprimento de onda.

Luz visível – É responsável pela claridade do dia percebida pelos olhos, distinguindo as cores e as formas do mundo.

Raios infravermelhos – Você não os enxerga, mas é capaz de senti-los. Afinal, são os raios infravermelhos que nos aquecem e, na pele, vão fundo. Penetram facilmente até a última camada. Ali, o calor dos raios dilata os vasos sanguíneos. É por isso que, quando você sai em um dia muito quente, a pele fica avermelhada.

Raios ultravioleta – Não são visíveis e, de longe, são os mais agressivos. Eles, por sua vez, também se subdividem em três tipos. Os ultravioleta C (UVC) são os que contêm mais energia e, por isso, podem afetar o nosso DNA. Mas, ainda bem, boa parte dessa radiação é absorvida pela camada de ozônio na atmosfera. O problema é que a emissão excessiva de gases poluentes vem criando buracos nessa camada e os UVC passam por eles mais livremente, o que muitos cientistas relacionam à incidência maior de câncer de pele observada nos dias atuais.

Já os raios UVA conseguem penetrar até a derme. Ao atingi-la, desencadeiam a produção de uma quantidade enorme de radicais livres, moléculas capazes de arrasar diversas estruturas, incluindo as glândulas sebáceas e as famosas fibras elásticas. Aliás, os raios UVA não só degradam, como também diminuem a síntese do colágeno. É basicamente por causa deles, portanto, que o sol provoca o envelhecimento precoce. No entanto, os UVA não estão por trás apenas do aparecimento de rugas e manchas senis antes da hora. Hoje, eles são associados a mutações por trás até mesmo do melanoma, o mais terrível dos tumores de pele.

Finalmente, temos os raios UVB, que causam danos diretamente – de queimaduras a mutações no DNA, originando células cancerosas.

Em defesa da pele
Em princípio, a pele teria alguma proteção contra esses raios. A sua camada córnea, aquela mais superficial de todas, já reflete até 10% deles. E, claro, esse escudo defensor é completado pela ação do pigmento melanina, que dá o tom bronzeado e que é produzido por células chamadas melanócitos quando a pele está sendo agredida pelos raios solares.

No entanto, por mais que a melanina seja eficiente, ela não dá conta de barrar a radiação o suficiente, especialmente naqueles horários em que o sol é mais forte, entre as 10 e as 16 horas, como já expliquei. Então, a única saída é usar um bom filtro.

Aliás, independentemente do horário, é preciso usar filtro solar sempre, inclusive nos dias nublados, tanto no rosto quanto em áreas descobertas do corpo, prestando atenção a regiões que acabam ficando bem expostas e que nem sempre são lembradas, como pés, mãos, pescoço, colo, orelha e até mesmo a nuca.

E olha que quando falo para você usar filtro sempre não se trata de uma figura de linguagem. Tire da cabeça a ideia ultrapassada de que o protetor solar é para quem está na praia ou na piscina. Até porque a radiação ultravioleta não vem só do céu. Na verdade, os raios solares refletidos pelo solo podem ser ainda mais intensos. A água também reflete esses raios, como provavelmente você já ouviu falar. Mas a areia da praia e o concreto das cidades fazem a mesma coisa. Paredes e superfícies, incluindo as dos carros no trânsito, cobertas com tinta branca ou clara também.

A neve é outra que reflete demais o sol e, para você ter uma ideia, chega a duplicar a exposição aos raios ultravioleta de quem está nela. Só que aí tem outro agravante, para os que gostam de esportes de inverno, que são praticados em montanhas: os níveis de radiação ultravioleta se elevam à medida que aumenta a altitude. Ou seja, passeios na montanha não são mais seguros do que caminhadas à beira-mar. Às vezes, muito pelo contrário.

Por isso, gostaria que você entendesse: o uso do filtro solar é importante em qualquer ambiente, inclusive dentro de casa ou do escritório. Primeiro porque parte da radiação ultravioleta passa até mesmo pelo vidro de uma janela fechada. Segundo, se você trabalha em um local com lâmpadas fluorescentes, saiba que elas também emitem radiação ultravioleta.

Por essas e por outras, na minha opinião, facilita a vida quando a pessoa aceita que é preciso criar o hábito de passar filtro solar diariamente e ponto-final, sem ficar pensando duas vezes se vai transitar por lugares com mais ou menos radiação.

Os dois tipos de protetor solar

Os filtros solares podem ser físicos e químicos.

Os do tipo físico formam uma barreira que reflete a radiação imediatamente, sem que ela seja absorvida pela pele, causando danos. Esses filtros são dos mais eficientes, mas tem uma questão: são opacos, muitas vezes brancos, e isso complica o uso no dia a dia porque ninguém quer sair mascarado por aí.

Já os filtros químicos têm a propriedade de absorver os raios solares no lugar da pele. Eles são mais translúcidos, então o efeito, quando a gente os espalha no rosto e no corpo, é mais natural. Em compensação, como nada é perfeito, os filtros químicos se aderem menos à pele e, por isso, você precisa reaplicá-los mais vezes ao longo do dia.

Na prática, a indústria muitas vezes mistura esses dois tipos buscando um equilíbrio que resulta em produtos que, digamos, fiquem menos aparentes e que, ainda assim, sejam muito eficientes. No entanto, alguns aspectos precisam ser considerados na hora de fazer a indicação do tipo de produto. Por exemplo, peles muito sensíveis ou com rosácea costumam se adaptar melhor aos filtros físicos. Por isso, embora pareça uma escolha simples, quem tem problemas dermatológicos deve sempre buscar orientação médica.

Entenda o fator de proteção

A primeira coisa que você deve observar ao escolher um protetor solar é se ele é de longo espectro, ou seja, se protege tanto contra os raios UVB quanto contra os UVA. O famoso fator de proteção solar com simplesmente FPS diz respeito apenas aos UVB. A medida de proteção contra a radiação UVA é outra, a PPD (*persistent pigment darkening*). No caso, a recomendação é que ela seja maior do que 12 ou identificada como PPD +++ no rótulo.

No que diz respeito ao FPS, tenha em mente que cada pele demora um tempo até apresentar o que, na dermatologia, chamamos de eritema, a popular vermelhidão. E esse tempo deve ser multiplicado pelo número do fator de proteção.

Então, imagine: se você, sob um sol ardente, levaria 10 minutos para começar a ficar com o rosto vermelho feito um pimentão, com um filtro 15 poderá permanecer 150 minutos sob o sol – ou seja 15 vezes 10, algo como duas horas e meia até começar a se queimar. Mas isso, veja bem, em teoria.

Essa conta de multiplicação serve apenas como referência.

Se por acaso der um mergulho ou suar demais, parte do produto escorrerá junto. Então, a estimativa oferecida pelo FPS vai por água abaixo se você não reaplicar o filtro.

O ideal seria passá-lo novamente no máximo a cada duas horas. Mas a gente sabe que, na rotina normalmente atribulada, isso acaba sendo impraticável. Por isso, oriento que as pessoas ao menos usem o protetor solar de manhã, repetindo a aplicação no meio da jornada, quando escovam os dentes depois do almoço, por exemplo.

E como saber qual o FPS mínimo para você? Em geral, uma pele claríssima – aquela que nunca bronzeia e que logo fica vermelha – começa a se queimar depois de 11 minutos sem proteção. Por sua vez, uma pele que é clara, mas que se bronzeia um pouco, leva cerca de 21 minutos até apresentar vermelhidão.

Pessoas negras de pele clara que se bronzeiam moderadamente demoram 31 minutos sob o sol, em média, até notarem que estão ficando vermelhas. Já quem tem a pele negra média costuma aguentar uns 45 minutos até apresentar o eritema. A pele negra escura, varia de 60 a 70 minutos.

Mas muito cuidado porque esse cálculo é apenas uma estimativa. O mais seguro, para pessoas de todos os tons de pele, é sempre usar um FPS 30, no mínimo, como indica a Academia Americana de Dermatologia.

O produto ideal

Como o filtro solar deve ser usado todos os dias, precisa combinar completamente com o seu tipo de pele para não provocar um desequilíbrio. Peles oleosas, por exemplo, merecem um produto em gel, na forma de loção fluida ou, ainda, com toque seco. Essas texturas não deixarão o rosto mais brilhante e gorduroso, sujeito à acne.

As peles mistas também podem se dar bem com um gel ou com uma loção. No entanto, para as secas, os protetores mais cremosos podem ser melhores.

Alguns produtos vêm com cor, o que para as mulheres é ótimo porque já funcionam como base. E não só isso: a cor potencializa a ação protetora e esse tipo de produto costuma ser a minha recomendação para as pacientes com melasmas e outras manchas.

Para todos, os homens incluídos, costumo dizer que uma alternativa interessante é escolher protetores que, na formulação, contenham ingredientes hidratantes ou que ajudem na prevenção do envelhecimento precoce, como substâncias antioxidantes. Hoje em dia encontramos filtros solares formulados até mesmo para reduzir a oleosidade. E essa múltipla função – proteger do sol e tratar a pele ao mesmo tempo – facilita demais a rotina de cuidados.

O jeito de passar

A regra de ouro é você espalhar o filtro de maneira homogênea uns 30 minutos antes se expor ao sol. Esse tempo é fundamental para o produto se aderir bem à pele e ter máxima eficiência.

Uma dúvida que as pessoas têm é sobre a quantidade. É difícil ser preciso. A Academia Americana de Dermatologia fala em 2 miligramas de protetor solar para cada centímetro quadrado de pele. Essa medida equivaleria a 6 colheres de chá para o corpo todo, se você estiver na praia, por exemplo. A distribuição seria, mais ou menos, 1 colher de chá para o tronco, 1 para as costas, mais 1 para cada perna, meia colher para cada braço e, finalmente, a última para usar no rosto e no pescoço. Porém, acho mais fácil você apenas se concentrar em não deixar nenhuma área de pele exposta sem filtro.

Aquele tom de bronze

Mesmo com todo esse cuidado, procure cobrir a cabeça com um boné ou um chapéu de abas largas quando for sair ao ar livre, ir à praia ou aproveitar a piscina. Isso porque, se quer mesmo saber a minha opinião, o bronzeado dá um ar saudável e bonito, se for leve. Se for intenso, porém, ele entregará que a pessoa não é muito ligada na própria saúde.

Para os que, mesmo com essa ponderação, gostam de um tom bem dourado, a alternativa poderia ser aplicar um autobronzeador. Usado regularmente, o produto tinge a pele. Só é preciso muito cuidado ao passá-lo nas dobras do corpo, onde pode se acumular, e nas regiões naturalmente mais escuras, como joelhos e cotovelos, para não criar manchas. Unhas e palmas das mãos também podem ficar impregnadas do pigmento e, por isso, é preciso lavá-las assim que passar o autobronzeador pelo corpo. E é importante esclarecer que esses cremes autobronzeadores não oferecem nenhuma proteção solar.

E as crianças?
Claro que, quando falei em protetores, eu me referia a produtos que podem ser usados por adolescentes e adultos. Crianças só devem usar filtros solares especialmente formulados para a pele delas, ou seja, extremamente hipoalergênicos e com maior aderência, porque assim não saem com facilidade com o atrito da roupa ou até da areia, entre as brincadeiras com baldinhos e construções de castelos na praia. E, sim, crianças também devem usar filtro solar diariamente. Sei que, na prática, toda mãe acha isso difícil e não posso negar que é mesmo. Mas seria o ideal.

Um parênteses importante: bebês com menos de seis meses não podem usar nenhum protetor, nem mesmo aqueles indicados para uso infantil. Então, quando os pais me perguntam a saída, ela é simples: bebês pequenos devem ficar bem longe do sol nos horários em que a radiação é perigosa.

Aliás, crianças de qualquer idade não deveriam ser expostas ao sol na faixa de horário em que os raios estão mais fortes; sempre que for possível evite que isso aconteça. Até porque, como expliquei, os danos da radiação são cumulativos. Sem contar que a pele delas fica queimada com maior facilidade.

Queimaduras e outros problemas
As queimaduras solares em qualquer idade, atenção, não são menos graves do que aquelas que nós, médicos, chamamos de térmicas – quando você encosta a mão no fogo

ou em algo muito quente sem querer, por exemplo. Elas também podem infeccionar e deixar marcas, por isso requerem cuidados. Até dentro da água você pode se queimar, já que cerca de 40% da radiação alcança algo como meio metro de profundidade.

No caso de jovens e adultos, o perigo de se queimar é maior se a pessoa fez peelings ou se está passando ácidos no rosto. Quem se submete a esse tipo de tratamento deve passar longe do sol pelo tempo determinado pelo seu médico.

No caso de uma queimadura solar, se houver bolhas e arder demais, a primeira medida poderá ser tomar um comprimido de ácido acetilsalicílico para diminuir o desconforto e, então, de preferência procurar um dermatologista para orientar sobre outros medicamentos e curativos.

Mesmo que não surja uma queimadura, lembre-se de que o excesso de sol invariavelmente abala a imunidade da pele, o que pode ser o estopim para certos vírus se manifestarem, como o do herpes. Aliás, seria capaz de repetir em cada capítulo: sua pele não gosta de nada em exagero. E isso vale para o sol.

Minha Dica

Se a ideia é pegar sol com moderação no verão ou na temporada de férias, procure preparar a sua pele alguns dias antes fazendo uma leve esfoliação para retirar as células mortas, o que proporcionará um bronzeado mais uniforme.

Também comece a caprichar ainda mais na hidratação. Não deixe de usar um hidratante corporal após cada exposição e nas semanas seguintes. Isso aliviará o ressecamento e prolongará a cor dourada.

Sol a pino? Então, busque uma sombra de verdade. E o que significa isso? Um local onde você simplesmente não consiga enxergar nem sequer um pedacinho de céu sobre a sua cabeça. Portanto, a sombra de uma árvore jamais é 100% eficaz. A barraca de praia e o guarda-sol – de preferência, dos grandes – precisam ser de lona ou de algodão. Não confie nos de náilon, material que permite a passagem de até 95% dos raios ultravioleta.

Finalmente, lembre-se de reaplicar o filtro depois de dar um mergulho, mesmo que ele seja à prova d'água. Paciência, mas é o que costumo aconselhar às pessoas. E, depois, não largue o produto em qualquer canto, caído ao lado da sua cadeira ou na areia. Se a embalagem tomar muito sol e esquentar demais, alguns dos componentes protetores podem perder parte da eficácia.

15

Manchas, pintas e sardas

Algumas marcas que enxergamos na nossa pele estão conosco desde o berço. O problema é que o avançar da idade e a somatória dos dias em que ficamos sob o sol fazem alguns desses sinais ficarem muito mais evidentes no decorrer da vida. Sem contar que sempre surgem outras marcas pelo meio do caminho.

O fato é que existem pintas e pintas, manchas e manchas, sinais e sinais. Para conhecer de perto cada um deles, o dermatologista faz um exame chamado dermatoscopia – que hoje pode possuir uma tecnologia bastante avançada, digital, não sendo apenas uma lente capaz de ampliar a imagem, como era há duas décadas.

Por meio desse exame, o médico consegue ver o tipo e o grau de profundidade de cada mancha, o que nos permite acompanhá-la milimetricamente, no sentido literal, e decidir qual seria o melhor tratamento, se necessário.

Quero explicar um pouco sobre os diversos tipos de sinais. Se você entender a diferença entre eles, ficará mais fácil notar caso apareça algo verdadeiramente estranho.

As sardas castanhas
Elas costumam ser pequenas e redondinhas. Também são planas, isto é, têm a mesma altura da superfície da pele, sem formar um relevo. Aparecem principalmente no rosto, nas costas, nos ombros e no colo de pessoas muito claras, loiras ou ruivas, por uma tendência genética que faz os melanócitos – as células que produzem a melanina – derramarem uma quantidade maior desse pigmento em alguns pontos esparsos. Essa distribuição muito desigual da melanina acontece especialmente em áreas expostas ao sol.

Na infância e na juventude, as famosas sardinhas – que nós, dermatologistas, chamamos de efélides – têm lá o seu charme. Na vida adulta e na maturidade, porém, isso vai depender, já que o sol, ano após ano, vai escurecendo essas sardas e elas também crescem. Daí que, muitas vezes, umas se juntam às outras, formando manchas bem maiores do que as originais. E essas manchas grandalhonas dão um aspecto envelhecido à pele.

As sardas brancas
Nós a chamamos de leucodermia gutata. São pontos esbranquiçados na pele, também redondos, que podem ter de discreto 1 milímetro até cerca de 10 milímetros de diâmetro. E, de novo, a causa é o sol.

É que, em alguns casos, os raios ultravioleta simplesmente destroem os melanócitos. Nos pontos em que eles são danificados a pele fica sem cor. Essas sardas brancas costumam surgir mais nas pernas e nos braços – e não, elas não têm nada a ver com o vitiligo, nem com fungos, como muita gente imagina.

As manchas senis
Você sabia que esse nome, apesar de ser conhecido de todos, nem seria muito adequado? Isso porque essas manchas

não aparecem exclusivamente em quem tem uma idade mais avançada. O que acontece é que pessoas maduras acumulam os efeitos de muitos banhos de sol.

As melanoses solares – nome mais correto – resultam exatamente do excesso de exposição aos raios solares e são maiores do que as sardas. Além disso, elas têm um formato mais irregular, não são tão redondas.

Mas atenção: aqui o problema não é só estético; o dermatologista precisa acompanhar essas manchas para ver se elas não sofrerão alterações com o tempo. É que infelizmente as melanoses solares, as populares manchas senis, podem virar um câncer de pele.

As pintas

O nome usado na dermatologia é nevos – expressão que vem do latim, significando marca ou defeito. Na área onde você enxerga uma pinta o que existe, na verdade, é uma concentração de melanócitos. Podemos já nascer com pontos onde existam essa concentração de células produtoras do pigmento natural da pele.

E esses pontos também tendem a surgir na adolescência. De novo, por causa do sol – sempre ele!

Na maioria das vezes, as pintas são pequenas, têm um formato definido e bordas regulares. Podem ser planas ou ter relevo.

A maioria é benigna, e eu só as removo em algumas situações específicas. A primeira delas, claro, é quando a pessoa se sente incomodada porque não gosta da aparência. E essa percepção pessoal precisa ser respeitada.

Na minha opinião, outro bom motivo para retirar uma pinta é quando ela fica em uma área de atrito – couro cabeludo, palmas das mãos, sola dos pés, dedos ou até mesmo em região de barba, onde se passam lâminas com alguma frequência. Ou, também, naquelas áreas do corpo que costumam ser depiladas. É que toda forma de atrito constante, aí sim, pode transformar uma pinta benigna em maligna. Então não vale correr o risco.

Os melasmas e os cloasmas

Como já falei antes, são manchas escurecidas e difusas típicas de quem está com alguma alteração hormonal, como problemas de tireoide, ou de mulheres grávidas, que tomam pílula anticoncepcional ou que fazem tratamento de fertilização.

Quando a pele está embebida em hormônios, como a gente costuma dizer, ela se torna mais sensível à luz solar e, então, mancha mesmo, não tem jeito – especialmente em pessoas morenas, de origem hispânica e orientais, na região bem em cima dos lábios, no nariz, nas maçãs do rosto e na testa. E não podemos nos esquecer de que, no Brasil, existem muitas pessoas com essa característica.

Os tratamentos feitos para apagar

Existe um arsenal deles e, em geral, prefiro combiná-los conforme o caso. Mas o que sempre digo para os pacientes é que não adianta fazer qualquer tratamento se aquela área não ficar bem protegida do sol – e não apenas nos dias posteriores, mas para o resto da vida.

O uso cotidiano do filtro solar, aliás, é a base de todo e qualquer tratamento para atenuar ou impedir a volta das manchas e também para prevenir que determinadas pintas se tornem malignas. Em alguns casos, chego a indicar bloqueadores.

Antes havia uma história de que não faria muita diferença usar fatores de proteção mais altos do que 30, mas esse é um mito que acabou sendo derrubado. Ao contrário, estudos mostram que filtros solares com FPS elevado, especialmente aqueles com pigmentos na composição –

que, mais do que darem uma cor substituindo a base na maquiagem, funcionam como barreira física –, conseguem amenizar em até 85% os melasmas, por exemplo. Lógico que esse efeito não acontece do dia para a noite, mas depois de um tempo de uso contínuo.

Os clareadores
São cremes com substâncias que inibem a liberação da melanina e que, muitas vezes, também promovem uma leve descamação e renovação da pele, capaz de acelerar os resultados. Entre esses princípios ativos, temos o ácido glicólico, o ácido retinoico, o ácido kójico e, claro, a hidroquinona. Esta pode ser eficiente, mas existe outro lado: se você usá-la continuamente, correrá o risco de ficar com áreas esbranquiçadas no lugar das escurecidas, o que também não é desejável.

Por isso, apesar de existir um monte de produtos clareadores no mercado, sempre vale a pena pedir a indicação do dermatologista, até para que ele possa orientar sobre fórmulas mais modernas, com substâncias que não irritem a pele. Antes, os clareadores podiam causar irritações, e isso era um problema, porque toda inflamação pode piorar manchas. Então, havia um risco de efeito rebote que, hoje, com as novas formulações, não existe mais.

Em que casos funcionam: nas melanoses, nas sardas castanhas mais escuras e até nos melasmas. Mas atenção: só podem ser usados algum tempo depois do parto. Grávidas não podem usar cremes clareadores.

O peeling de cristal
O nome em inglês já explica a intenção – peeling quer dizer "descamar". Todo procedimento com esse nome remove as camadas mais superficiais da pele, acelerando o processo de renovação celular. E isso pode ter alguns

resultados, como suavizar rugas, cicatrizes de acne e marcas de expressão. Ou, claro, atenuar as manchas.

No caso, o de cristal é o que chamamos de peeling mecânico, capaz de provocar uma esfoliação. Primeiro, um pó de dióxido de alumínio é aplicado e, depois, a região é massageada com a ajuda de um aparelho, provocando uma abrasão que vai remover as camadas mais superficiais.

Em que casos funciona: atenua as manchas mais superficiais, mas não pode ser feito antes de você se expor ao sol, porque a pele fica muito fina logo depois e, portanto, bem mais vulnerável à radiação. Tanto é assim que eu recomendo que, nos dias seguintes ao da sessão, a pessoa reaplique o filtro a cada duas horas, no máximo, com muita disciplina.

Os peelings químicos

São aplicações de substâncias como o ácido retinoico, o salicílico, o mandélico e o glicólico, com maior ou menor concentração conforme cada caso, capazes de promover uma remoção das camadas mais externas da pele. Quando isso acontece, há um estímulo para que sejam substituídas, e daí, em geral, surgem camadas mais lisas e uniformes, sem tantas manchas. Às vezes, porém, é indicada a aplicação de outros ácidos, ainda mais fortes, mas só bem em cima das manchas, se elas forem pequenas e espaçadas entre si.

Em que casos funcionam: nas melanoses, nos melasmas e nas sardas escuras.

A luz intensa pulsada

Nesse tratamento, é usado um aparelho que emite flashes intensos de luz que duram milissegundos. Apesar de ser uma energia luminosa, capaz de provocar um aquecimento da pele, não se trata de um laser, porque são ondas de vários comprimentos e que não são focadas. E um dos alvos dessa energia é justamente as moléculas de melanina.

Em que casos funciona: principalmente nas manchas mais amarronzadas e superficiais.

Os lasers

Há no mercado uma série de lasers. No entanto, nem todos têm indicação para manchas e, no caso deles, a gente precisa avaliar não só a tonalidade, mas também se são mais superficiais ou mais profundas para indicar o tratamento adequado.

Se a mancha é muito pigmentada, marrom e escura, posso apelar para um laser de rubi, por exemplo. Ele produz uma luz vermelha, que concentra uma boa quantidade de energia que é absorvida justamente pela melanina.

Já se eu tenho uma pele com manchas mais profundas ao lado de manchas mais superficiais, o ideal pode ser aplicar o laser fracionado combinado, que atua em diversas profundidades ou, ainda, o que muitos consideram padrão-ouro, lasers que atuam em picossegundos.

Em que casos funcionam: mais adiante, vou explicar melhor a ação dos lasers para diversas finalidades. O importante, aqui, é você saber que a indicação vai depender de uma série de características da mancha que você pretende apagar e das singularidades da sua pele. Portanto, não saia fazendo um tratamento desses sem a orientação de um dermatologista.

O bisturi elétrico

Ele tem uma ponta aquecida e pode queimar mancha por mancha. Depois da aplicação, surge uma crosta que cai sozinha em cerca de 10 dias.

Em que casos funciona: é uma opção para sardas maiores e para pintas, sejam em relevo, sejam planas.

O bisturi cirúrgico ou convencional
Apelamos para ele principalmente quando queremos enviar uma amostra do tecido para análise laboratorial. O corte pode retirar apenas a própria pinta ou, se ela tiver uma aparência muito suspeita de ser maligna, cortar junto uma borda de tecido saudável em todo o seu redor para criar uma margem de segurança. Depois, esse corte é fechado, muitas vezes com pontos reabsorvíveis.

Em que casos funciona: pintas mais profundas, mas principalmente malignas ou suspeitas de malignidade.

A IMPORTÂNCIA DO AUTOEXAME

É importante ressaltar que, mesmo que pintas ou manchas não lhe incomodem a ponto de você querer tirá-las, é preciso visitar o dermatologista a cada ano para acompanhá-las. Na minha opinião, mesmo quando o paciente chega com outra queixa qualquer, se o médico sabe que ele não passou por um bom exame dermatológico nos últimos doze meses, deverá examinar toda a sua pele – eu olho com atenção até o couro cabeludo!

E, mais do que isso, oriento que meus pacientes façam o autoexame da pele idealmente a cada três meses ou, pelo menos, a cada seis.

Para isso, reserve um tempo e fique com o corpo completamente nu diante do espelho. Use um outro espelho menor ou até mesmo a câmera do celular para examinar cada porção de pele. Não deixe de elevar bem os braços. Observe a parte interna deles e, ainda, as axilas.

Procure virar-se, tentando enxergar as laterais do corpo e atrás. Como isso muitas vezes é difícil, se for o caso peça ajuda a alguém para que olhe com atenção a sua nuca, o seu couro cabeludo, a área atrás das suas orelhas e as suas costas. Uma alternativa para examinar as costas seria, de novo com o celular, usar um pau de selfie.

Não se esqueça também de, com a ajuda do espelhinho ou do celular – não deixe de apagar a imagem depois –, reparar na pele dos genitais. Termine o autoexame dando uma boa olhada nas unhas, entre os dedos e na sola dos pés.

Qualquer sinal diferente, como uma pinta que surgiu do nada ou outra que cresceu e mudou de formato, merece que você antecipe a tal visita periódica ao dermatologista.

Minha Dica

Antes de você fazer qualquer tratamento para apagar uma mancha de pele, o ideal seria passar pelo exame de dermatoscopia. É ele, afinal, que dá ao médico informações para indicar o que, de fato, pode trazer resultado.

O cuidado na prescrição do tratamento deve ser ainda maior com a pele negra. Basta muito pouco – um machucado, uma picada de inseto, uma acne espremida – para ela apresentar marcas escuras. Peelings e clareadores podem dar bons resultados, sim, mas desde que receitados de maneira muito criteriosa. Todo cuidado é pouco.

Finalmente, sempre me perguntam se é possível se submeter a um tratamento para atenuar as manchas de pele em pleno verão. A minha resposta sincera? Hoje em dia, até é, desde que sejam escolhidos aqueles tratamentos que agem mais superficialmente e que os cuidados posteriores, como o uso de filtro solar, não sejam esquecidos. Por falar a respeito de cuidados, a boa hidratação da pele é essencial – e isso em qualquer estação do ano. É sabido que peles secas podem manchar com muito mais facilidade.

No entanto, se alguém me disser que quer apagar uma mancha para chegar linda nas férias de verão, eu serei franca: quando os planos são de se expor ao sol, melhor esperar o período de outono e inverno, porque simplesmente não irá compensar. E, se duvidar, o problema poderá até piorar.

16

Os avanços no câncer de pele

Muita coisa mudou. Nos últimos vinte anos, venho observando uma transformação extremamente positiva: passamos a ver campanhas bem-feitas em todas as regiões do país, do sertão aos centros urbanos, voltadas aos mais diversos públicos, alertando sobre a importância de prevenir o câncer de pele e, em caso de suspeita, procurar o dermatologista – que por muito tempo foi considerado um especialista inacessível por muitos brasileiros, e distante das questões da sua saúde.

Em relação ao que acontecia no passado, aumentou bastante a consciência da população de que sol em excesso faz mal, que protetor solar é essencial e que autoexame de tempos em tempos é necessário. Isso sem dúvida mudou o diagnóstico dos tumores de pele – hoje as pessoas chegam muito mais cedo ao consultório – e consequentemente o prognóstico.

Lógico que os tratamentos também evoluíram. Diante de tumores baso ou espinocelulares, por exemplo, que são os dois mais comuns, nos dias de hoje, muitas vezes não tenho mais que operar, graças a uma técnica chamada PDT ou terapia fotodinâmica, que faz uso de produtos ácidos antes de expor o paciente à luz.

Essas substâncias, então, vão destruindo as células tumorais e preservando aquelas que continuam sadias. É um tratamento curativo aplicado com uma frequência cada vez maior nos consultórios. Ele só não pode ser realizado em lesões que são muito grandes ou que já se encontram muito infiltradas. Também evito a terapia em áreas de dobras, mas no rosto e no restante do corpo os resultados são excelentes.

Pode parecer contraditório, mas quem sabe, no futuro, apesar da radiação solar estar cada vez mais forte em função das mudanças climáticas, a gente possa ter menos casos de tumores malignos. Isso porque o conceito de usar proteção solar no dia a dia surgiu há uns trinta anos apenas, não mais do que isso.

Portanto, quem está com mais de 70 anos passou metade da vida se expondo ao sol sem proteção. Essa pessoa tem um risco maior de desenvolver um câncer de pele do que uma jovem de quinze hoje, que já se protege, quando chegar à idade dela. Sem contar que a proteção não se resume aos cremes e às loções. Encontramos tecidos tecnológicos para a prática de esporte ao ar livre que vêm com filtro solar e até suplementos com antioxidantes específicos que aumentam as defesas da pele ao sol, entre outras inovações.

Evolução também no diagnóstico

Para diagnosticar um câncer de pele, por sua vez, até relativamente pouco tempo só havia a dermatoscopia convencional, uma lente que ampliava bastante a lesão, mas o médico precisava ter um bom olho e experiência para, só por esse exame, bater o martelo no diagnóstico.

Atualmente, porém, já existe o dermatoscópio digital e o confocal, que chega a fazer uma leitura das células!

São exames cobertos pelos grandes convênios de saúde, o que é uma conquista, porque, quando comecei a trabalhar com essas tecnologias, não era assim. Até mesmo os serviços públicos já disponibilizam a dermatoscopia. E não à toa. Os tumores malignos de pele representam 33% de todos os diagnósticos de câncer no país – ou seja, um terço deles. Segundo o Instituto Nacional de Câncer, o INCA, o Brasil registra cerca de 180 mil novos casos a cada ano.

Por dentro de um câncer

A causa é sempre uma lesão no DNA, a molécula que compõe os nossos genes e que guarda todas as normas do funcionamento correto do corpo humano. No caso, o que provoca o dano no material genético, em mais de 90% das vezes, é a exposição excessiva ao sol. Corre mais risco quem tem pele clara? Sim. Mas também qualquer pessoa que, um dia, ficou com a pele toda queimada, vermelha, descascando e com bolhas. Evidentemente que é mais preocupante se isso aconteceu várias vezes ao longo da vida.

O câncer de pele, no entanto, nem sempre surge nessas regiões que apresentaram queimaduras no passado. Ainda assim, esses episódios estão por trás, feito um gatilho. Quando acontece, as células vão crescendo de maneira totalmente desorganizada. É como se abrissem mão do controle de qualidade e então surgem cópias defeituosas, que, por sua vez, também não param de se reproduzir, passando o erro adiante.

Como o conglomerado de células anormais só faz aumentar, em seguida surge uma pinta que parece ter crescido da noite para o dia ou nota-se algo diferente em um sinal que já existia. Talvez perceba-se uma mancha esquisita que começa a descamar ou, ainda, um machucadinho que nunca cicatriza. Por isso é tão importante fazer sempre o autoexame que ensinei no capítulo anterior. Quem reconhece um sinal estranho na pele não costuma perder tempo para procurar tratamento e tem mais de 90% de chance de cura.

Não se esqueça do ABCD

Quando alguém me pergunta no que reparar ao olhar para a própria pele para diferenciar um sinal que tem tudo para ser benigno de outro que dá pistas de ser maligno, sempre menciono as quatro primeiras letras do alfabeto.

- **A de assimetria** – Quando uma pinta é benigna, ela geralmente é simétrica. Ou seja, se você pudesse dividi-la ao meio, veria que as duas metades seriam mais ou menos iguais. Além disso, ela é geralmente lisa, o que é diferente do que eu costumo encontrar em uma lesão maligna. Ela também costuma crescer mais para um lado do que para o outro e sua superfície pode ser toda irregular, como se formasse ondulações.
- **B de bordas** – Elas precisam formar um desenho mais redondo e regular. Quando a lesão é maligna, porém, é como se o contorno da pinta, olhando bem de perto, fosse todo desorganizado.
- **C de cor** – As pintas comuns costumam ter uma tonalidade única, enquanto as malignas tendem a ser formadas por pontos mais claros e pontos mais escuros.
- **D de diâmetro** – Não é bom sinal uma pinta ter mais do que 6 milímetros de diâmetro.

Quando algo na sua pele se enquadra em um desses padrões suspeitos, você já tem um bom motivo para ir depressa ao dermatologista. Também deve ir ao médico se notar que uma pinta ou mancha aumentou de tamanho, mesmo que seja muito pouco. Ou ainda, vale repetir, se alguma ferida, por mínima que seja, pareça nunca cicatrizar de vez.

Em geral, o dermatologista percebe, só pelo exame clínico, quando está diante de um tumor maligno. Mesmo assim, a prova só virá com o exame da dermatoscopia e, se o médico achar que é o caso, com uma biópsia.

Os principais tipos de tumor

Eles são três, cada um com suas características. Os mais comuns são os carcinomas baso e os espinocelulares. Mas o melanona, apesar de mais raro, é o que mais preocupa, por ser um tipo agressivo, capaz de ser letal.

Carcinoma basocelular ou epidermoide

- **Onde se origina** – Nas células basais, que ficam na camada mais profunda de todas as que compõem a epiderme.
- **Prevalência** – De sete a oito em cada dez tumores de pele são desse tipo. Portanto, ele é de longe o mais comum.
- **O que você pode notar** – Uma placa pequena e avermelhada, que pode descamar – e, daí, muita gente ignora o problema no começo, pensando ser uma simples irritação da pele, que coça e arde levemente. Existem casos, porém, em que esses tumores lembram uma feridinha, que solta uma secreção aquosa e que nunca fica boa.
- **Tratamento** – É um tumor que cresce bem devagar e que, se for retirado a tempo – por meio de cirurgia ou de terapia fotodinâmica –, as chances de cura são superiores a 95%.

Carcinoma espinocelular

- **Onde se origina** – Nas células escamosas, presentes nas camadas superiores da epiderme.
- **Prevalência** – Entre 15% e 20% dos casos de tumor de pele são desse tipo.
- **O que você pode notar** – Ele forma um pequeno caroço, que pode se abrir ou não em uma ferida que persiste por semanas e que talvez até sangre um pouco. Existem casos em que são confundidos com verrugas, e ninguém deveria desdenhar de um caroço na pele, porque esse é um câncer mais grave do que o basocelular.
- **Tratamento** – Esse é mais um tipo de tumor que cresce muito devagar. No entanto, se ele não for retirado no início, pode atingir outros órgãos. Se a pessoa, porém, procura o dermatologista logo ao notá-lo no autoexame, as chances de cura também superam os 95%. O tratamento indicado pode ser a terapia fotodinâmica, mas, como sempre, tudo é uma questão de avaliar o paciente e usar o bom senso.

Às vezes, se o paciente é um idoso com mais de 80 anos e muitas lesões pelo corpo, esse tratamento pode ser a melhor opção ainda que as lesões sejam um pouco maiores. Um octogenário dificilmente irá morrer em decorrência desse tumor de pele, já que ele demora para avançar. Sendo assim, a terapia fotodinâmica será mais segura e até mesmo menos dolorida. E a qualidade de vida deve vir em primeiro lugar.

Melanoma

- **Onde se origina** – Nas células que produzem o pigmento natural da pele, conhecidas como melanócitos.

▶ **Prevalência** – Os casos representam 3% dos tumores de pele, mas podem ser devastadores quando a doença não é diagnosticada bem no começo.

▶ **O que você pode notar** – Geralmente, o melanoma surge a partir de uma pinta que você já tinha no corpo. Aliás, é por isso mesmo que um dermatologista experiente sugere que, por precaução, alguns sinais que podem se tornar malignos com o passar do tempo sejam retirados.

No entanto, preciso dizer que existem casos em que o melanoma surpreende aparecendo em áreas do corpo onde você menos imagina, como nas genitálias, na sola dos pés, na palma das mãos, no couro cabeludo, na mucosa do nariz. O problema de demorar para perceber essa pinta, que é sempre bem escura e irregular, é que ela cresce muito depressa – e não só para os lados, mas para dentro. Ao se aprofundar, alcança vasos sanguíneos por onde suas células malignas se espalham. Então, temos a metástase.

Hoje nós sabemos que a hereditariedade tem um papel fundamental no desenvolvimento desse tumor e não apenas a exposição ao sol. Por isso, quem tem parentes que já receberam o diagnóstico de um melanoma deve estar sempre atento, submetendo-se a exames preventivos com regularidade. Claro que essa ameaça é maior quando a doença acometeu um familiar de primeiro grau, ou seja, pai, mãe, irmão ou irmã. Na verdade, quando há um caso na família, até os netos desse paciente deveriam ser acompanhados bem de perto pelo resto da vida.

▶ **Tratamento** – Depende muito do estágio do câncer, do local das lesões e até mesmo do estado geral do paciente. Quando o melanoma ainda está *in situ*, como nós médicos falamos, isto é, quando ele não cresceu além da epiderme, a lesão é retirada com cirurgia. Uma borda de tecido sadio é retirada junto, como margem de segurança.

No entanto, se depois a biópsia acusar células malignas nessa margem de pele que parecia saudável, uma segunda cirurgia extirpa uma área ainda maior de tecido. Mesmo quando é assim, nessa fase o prognóstico é sempre dez vezes melhor.

Já quando esse câncer avança ultrapassando a epiderme, tirar as lesões – e, muitas vezes, os linfonodos por perto também – deixa de ser suficiente e um oncologista poderá indicar imunoterapia, quimioterapia, terapia-alvo e radioterapia, além da própria cirurgia, combinando essas alternativas conforme cada caso.

> **Minha Dica**
>
> Na hora do autoexame, não confie tanto na memória, que pode alterar a sua percepção. Pegue a câmera do seu celular e fotografe suas pintas. Assim, você poderá comparar as imagens no autoexame seguinte e ver de uma maneira mais objetiva se não há nada diferente.

17

Quando outros cânceres mexem com a sua pele

Com o aumento da longevidade, a probabilidade de surgir, ao longo do tempo, uma mutação maligna nas células do corpo também se torna maior. É por isso que o câncer é uma doença muito mais frequente hoje do que no passado. Ele surge a partir desses pequenos defeitos que escapam do controle de qualidade do nosso organismo. Mas – ainda bem – as chances de superar a doença também cresceram.

A toda hora aparecem novos protocolos de tratamento oncológico. Só que, embora eles melhorem cada vez mais, a pele sempre sofre com efeitos colaterais da radioterapia, da quimioterapia, das terapias hormonais e até mesmo das cirurgias. Não tem jeito, e as consequências vão depender, primeiro, da localização do tumor e, depois, do arsenal terapêutico usado para combatê-lo.

O importante é garantir a saúde da pele durante o tratamento e, com isso, manter a dignidade do paciente, elevando a sua autoestima – o que, na minha opinião, fortalece o indivíduo para o enfrentamento da doença.

Geralmente quem busca o dermatologista já está no meio do tratamento do câncer ou se encontra em fase de remissão. Está preocupado com a pele que ficou manchada ou muito ressecada, por exemplo. Essa, aliás, é uma grande queixa de mulheres que entraram na menopausa de uma hora para outra porque os médicos tiveram de submetê-las a um bloqueio hormonal. É que às vezes o tumor – como em alguns casos de câncer de mama – é alimentado pelos hormônios sexuais, e bloqueá-los é uma maneira de matar as células doentes de fome. A questão é que a falta dessas substâncias é sentida na pele, que pode ficar fina e seca.

Outros pacientes já chegam mais preocupados com uma possível queda de cabelos, cílios, sobrancelhas, algo que já não acontece sempre. Mas alguns quimioterápicos, por agirem em células que se reproduzem velozmente – como aquelas na matriz dos nossos pelos –, ainda provocam essa queda.

Existem caminhos para contornar ou, ao menos, aliviar os efeitos colaterais do tratamento, melhorando o bem-estar nessa fase tão desafiadora. No entanto, sempre digo que o melhor seria a pessoa com câncer procurar o dermatologista ao receber o diagnóstico. É que preparar a pele antes do início do tratamento faz bastante diferença. E, obviamente, o dermatologista deverá manter um contato regular com o oncologista clínico que está cuidando do caso.

Antes de começar o tratamento oncológico

Muitos quimioterápicos deixam a pele extremamente sensível à radiação. E a minha orientação é usar com maior disciplina ainda o filtro solar, evitando mais do que nunca os horários em que o sol está mais forte – entre as 10 e as 16 horas. Todo cuidado é pouco, porque a pele sensibilizada pelos medicamentos irá se queimar com facilidade e manchar.

Quando o oncologista prescreve a radioterapia, invariavelmente é preciso um cuidado todo especial que, de preferência, deve ser iniciado alguns dias antes da primeira sessão. Por mais que esse tratamento tenha avançado, com os raios se dirigindo diretamente ao alvo – o tumor –, poupando áreas sadias ao seu redor, a pele sempre se ressente, queima e desidratada bastante. Por isso a ordem é hidratar, hidratar e hidratar.

O ritual de hidratação deve ser repetido, no mínimo, duas vezes ao dia na região a ser irradiada – se o tumor for na mama, em toda a sua extensão; se for no tórax, em todo o tórax. Indico que a pessoa passe primeiro um creme hidratante. Quando o objetivo é preparar a pele de quem está em tratamento de um câncer, esqueça o gel e as loções hidratantes. Precisa ser creme mesmo, que, por natureza, é uma formulação mais umectante do que essas outras.

Na sequência, para completar o preparo da pele e, ainda, reter a hidratação promovida pelo creme, é fundamental passar um óleo. Se me perguntarem, eu prefiro que o paciente use o de rosa-mosqueta. No entanto, se for difícil encontrá-lo ou mesmo se a questão financeira pesar – afinal, poderá ser necessário para uma grande área do corpo, todos os dias, com aplicações repetidas –, pode-se substituir por outro óleo. Eu gosto muito, como alternativa ao de rosa-mosqueta, do de amêndoas, que poderá ser passado puro ou misturado com vaselina.

Durante as batalhas contra o tumor

Em relação à radioterapia, os cuidados continuam os mesmos da fase de preparação da pele. Ou seja, é preciso repetir o ritual de hidratação duas vezes ou mais ao dia.

Claro que não é para ninguém fazer isso antes de ir para a sessão de rádio, chegando lá com a pele toda melequenta. No entanto, costumo sugerir que a pessoa leve o seu creme e o seu óleo para já passar na saída, antes de ir embora.

A pele também pode ficar muito seca por conta de alguns protocolos quimioterápicos, isto é, de algumas combinações de drogas usadas no tratamento. No caso, vale o mesmo que indico para a radioterapia: passar creme e, depois, um bom óleo, caprichando em regiões como cotovelos, joelhos e calcanhares, que já costumam se ressecar com maior facilidade. Alguns pacientes, inclusive, passam a mistura de óleo e vaselina nos pés antes de dormir, calçando meias para protegê-los, sem sujar lençóis nem deixar os produtos saírem.

Mas é bom esclarecer que o impacto da quimioterapia na pele vai depender muito das drogas envolvidas e da reação de cada organismo a elas. Desse modo, assim como existem pacientes que ficam com a pele bastante seca, outros apresentam acne. A maioria dos oncologistas, então, permite que a gente entre com algum antibiótico – talvez até com o uso tópico desse tipo de medicação – para resolver essas lesões. Até porque o menor dos problemas é o estético, embora ele deva ser valorizado se estiver incomodando a pessoa. A grande questão é controlar as bactérias que estão ali presentes, nas espinhas inflamadas. Afinal, o sistema imunológico pode estar ligeiramente suprimido e não é bom arriscar.

Outros indivíduos que fazem quimioterapia sentem prurido quase o tempo inteiro. Aviso para evitar coçar, mas sei que é difícil. O problema é que a unha pode causar feridinhas – tudo o que a gente não quer. Posso indicar corticoides, muitas vezes, sempre trocando ideia com o oncologista. Na minha opinião, mais complicados são os chamados *rushes*, áreas de vermelhidão que aparecem como reação às drogas e que nem sempre a gente consegue solucionar facilmente. É preciso ter paciência enquanto a quimioterapia durar.

Dependendo da localização do tumor ou quando já se trata de uma mulher na menopausa, ou, ainda, quando a paciente mais jovem entra na menopausa precocemente por causa da necessidade de um bloqueio hormonal, muitas vezes escuto a queixa de ressecamento íntimo. Os genitais femininos perdem a lubrificação natural, o que causa incômodos, dor na relação sexual e favorece infecções. Para esse problema, temos hoje tratamentos feitos com máquinas que, sem a necessidade de hormônios – e o uso de hormônios, nesse contexto, nem seria cogitado –, são capazes de melhorar bastante a lubrificação feminina.

O que acontece com os cabelos?

Como já disse, muitos remédios empregados no combate a um tumor vão direto ao alvo – às células malignas – e já não atacam outras células, que são sadias, mas que se replicam em alta velocidade.

Hoje em dia, inclusive, mesmo quando há a necessidade de se lançar mãos desses medicamentos que fazem os fios caírem, é possível usar o artifício de vestir uma espécie de touca gelada que minimiza esse efeito adverso. É simples: o frio contrai os microvasos que irrigam o couro cabeludo. Desse modo, enquanto o remédio está sendo administrado, ele não consegue alcançar tanto essa região pela circulação sanguínea. O problema é que essa tecnologia ainda é inacessível para muitas pessoas. Em compensação, as perucas estão cada vez mais naturais e o cuidado, do ponto de vista da dermatologia, é no sentido de observar se o adesivo responsável pela fixação não está causando alguma irritação. Quando isso acontece, é preciso tratar para – de novo – evitar pequenos ferimentos.

Uma coisa, com certeza, todo mundo que enfrenta um câncer já ouviu do próprio oncologista: sim, assim que a quimioterapia termina, os fios voltam a crescer. Mas voltam a crescer como antes? – é uma pergunta que sempre escuto por aqui. Muitas vezes, não. Há casos de pessoas que tinham cachos e que se veem com uma cabeleira lisa após o tratamento. Outras que tinham fios escorridos e que são surpreendidas com um visual crespo. E tudo por causa do efeito do quimioterápico. Às vezes, essas mudanças são temporárias e outras vezes se transformam na nova imagem de quem superou uma doença grave e que tem tudo para descobrir uma nova maneira de se ver belo. Aliás, tenho pacientes que ficaram com os cabelos muito mais bonitos depois de vencerem um câncer.

Enquanto os fios não crescem, algumas mulheres – e aí ouso falar que mais mulheres do que homens – querem saber se podem fazer implantes de cílios postiços. O que não é algo que eu recomende sempre em circunstâncias normais, mas que nesse contexto pode devolver à paciente um novo olhar, ao pé da letra e para a vida.

O QUE PODE SER FEITO E O QUE DEVE FICAR PARA DEPOIS

Não faça nada, nenhum procedimento que possa ferir a pele minimamente ou deixá-la ainda mais sensível à luminosidade. Tudo o que é capaz de traumatizá-la – por exemplo, provocando uma descamação maior da epiderme – é contraindicado.

Portanto, lasers e peelings para, por exemplo, tirar manchas, atenuar a cicatriz de uma cirurgia oncológica ou da radioterapia devem esperar seis meses após final do tratamento. Até lá, insisto na recomendação da hidratação com creme umectante e óleo de rosa-mosqueta – ou de amêndoas, se for o caso. A pele bem hidratada tende a cicatrizar melhor.

Existem pessoas que me perguntam a respeito de depilação. Inclusive aquelas que viram os pelos do corpo desaparecer com a quimioterapia, porque, assim como ocorre com os cabelos, os fios podem nascer diferentes nas pernas, por exemplo – mais grossos ou mais escuros. Não ocorre sempre, mas pode, sim, acontecer. Mas tanto a depilação com laser, por sensibilizar a pele, quanto a com cera – pela possibilidade de causar feridas que, por mínimas que sejam, podem desencadear até mesmo uma flebite, um coágulo, inflamando a parede de uma veia – devem esperar seis meses. Até lá, o jeito será usar, com cuidado, delicadeza e espuma muito suave, uma lâmina de raspar.

Sobre preenchimentos e toxina botulínica, a rigor não haveria motivos para restrição, a não ser que o oncologista proíba os procedimentos. Mas digo isso mais para saciar a curiosidade. Cá entre nós, o foco de quem está tratando um câncer é, ou deveria ser, aliviar os efeitos colaterais do tratamento do tumor. Sem julgamento, acho raro alguém pensar em rugas de expressão em uma hora dessas.

> **Minha Dica**
>
> *O cuidado para não deixar a pele ainda mais vulnerável e sensível não se restringe ao consultório. Em casa, não use nenhum sabonete abrasivo ou esponja mais áspera, tanto no rosto quanto no corpo. Prefira produtos neutros, sem perfume, antialérgicos. Converse com o seu dermatologista, inclusive, sobre a possibilidade de usar linhas de cuidados faciais e corporais desenvolvidas especialmente para quem está se tratando de um câncer. Sim, elas existem.*
>
> *Em relação à tintura de cabelos, quando o oncologista autoriza pintá-los, a minha recomendação é a mesma: procure aquelas que são mais naturais, com menos substâncias irritantes na formulação. O problema não são os fios que serão tingidos, mas o contato do produto com a pele do couro cabeludo, por exemplo. Pense que, nos primeiros meses após um tratamento de câncer, de certa maneira todos compartilham um mesmo tipo de pele. E esse tipo é ultrassensível.*

18

Uma lista de possíveis problemas

Sem contar os tumores – os de pele propriamente ditos e os de outras partes do corpo, mas que afetam esse órgão de barreira –, uma série de outras doenças é tratada no consultório do dermatologista. E, sobre elas, as pessoas fazem alguma confusão. Muitas vezes não entendem o que está acontecendo quando surgem feridinhas, vermelhidão, descamações... Claro que o certo é sempre procurar um médico, mas a ideia deste capítulo é explicar, em ordem alfabética, as principais ou as mais comuns dessas doenças de pele.

Brotoejas – Elas são conhecidas na medicina por miliárias e, ao contrário do que as pessoas pensam, essas bolhinhas vermelhas também podem surgir na região cervical e no tronco de crianças mais velhas e adultos, não sendo exclusividade dos bebês. O certo a fazer é passar loções calmantes, que podem conter substâncias como o óxido de zinco, com a função de ajudar na cicatrização.

No entanto, o melhor sempre é evitar que apareçam. E, para prevenir brotoejas quando existe essa tendência, minha primeira dica é usar roupas leves nos dias quentes, uma vez que esse é o tipo de lesão que costuma aparecer bem onde a pele acumula suor. Aliás, por isso mesmo, principalmente durante as crises, vale repetir o banho ao longo do dia, de preferência com água morna ou fria.

Cistos – Eles são nódulos benignos que, em tese, podem aparecer em qualquer lugar do corpo, mas que acabam sendo mais comuns naquelas regiões onde temos um número maior de glândulas sebáceas, como o tronco e o próprio rosto.

O que a gente nota, na maioria das vezes, é um nódulo palpável e indolor, macio e da cor da pele. Quando há dor e mudanças de tom, pode ser que, por azar, uma bactéria tenha conseguido infectar o local. Em casos assim, é necessário antibiótico.

Às vezes, o cisto se esvazia por conta própria, mas depois se enche de novo de sebo e queratina. Para resolver a situação de vez, é preciso uma cirurgia para extraí-lo. É um procedimento que costuma ser bem tranquilo, feito com anestesia local. Claro que depende do tamanho do cisto e do lugar onde ele está, mas é o que costuma ser na maioria dos casos: um problema fácil de ser resolvido.

Dermatite atópica – Outro nome pelo qual ela é bastante conhecida é eczema. A pele fica tão, mas tão ressecada que começa a descamar, o que provoca uma coceira terrível. Logo, o problema se espalha pelo rosto, pelos membros, pelo tronco, pelo corpo inteiro!

Muitas vezes, a dermatite atópica aparece na infância e vai desaparecendo à medida que a criança cresce. Mas pode acontecer de esse aparente sumiço ser somente uma espécie de trégua. E daí essa dermatite volta na idade adulta, alternando períodos em que piora com períodos em que melhora bastante e quase desaparece.

Em geral, nesses casos crônicos persistentes, as lesões surgem mais em dobras, como as dos joelhos, no pescoço e nos braços, embora existam pacientes em que a dermatite se espalhe por todo o corpo.

De tanto descamar, com o tempo essa pele forma uma crosta, áspera e mais escura. E essa aparência incomoda demais os pacientes.

O tratamento se baseia em reforçar a hidratação – já que o primeiro sinal é a pele ressecada – e prescrever com muito critério corticoides para aliviar a reação inflamatória. Nada de automedicação! Eu e meus colegas dermatologistas podemos, às vezes, indicar um antialérgico para diminuir a coceira ou até mesmo, por um tempo limitado, receitar antibióticos, mas só quando, de tanto esfregar as unhas, o paciente acaba infeccionado uma lesão da dermatite atópica.

Sei que é difícil, mas evite coçar! Na verdade, tudo o que arranha o eczema deve ser evitado. Portanto, não apenas as unhas, mas também sabonetes abrasivos, buchas e esfoliantes.

Dermatite de contato – Ela é diferente porque, no caso, a causa é um agressor externo – um agente tóxico ou alérgico, capaz de disparar uma reação imunológica bem no local onde encostou na pele, o que pode acontecer, estima-se, com 4% dos adultos.

O tratamento lança mão de corticoides para estancar a reação. Mas o melhor mesmo seria descobrir o que, ao entrar em contato com a pele, provocou essa resposta.

Dermatite seborreica – Nela, o que causa a inflamação na pele é um fungo, o *Pityrosporum*. Aliás, ele também está por trás de dois tipos de caspa no couro cabeludo. Na dermatite seborreica, esse fungo, que se alimenta da secreção gordurosa produzida pelas glândulas sebáceas, multiplica-se, geralmente nas regiões onde existe uma maior concentração delas, ou seja, na testa, perto dos cílios ou do nariz, no peito ou nas costas, às vezes até nas orelhas. Aí, surgem lesões avermelhadas, das quais se soltam flocos de pele.

Nos recém-nascidos, podemos notar o problema e o que favorece o seu aparecimento são os hormônios maternos que ainda circulam no organismo do bebê, aumentando a produção sebácea. Os hormônios da mãe somem com o tempo e a dermatite atópica, também. Já nos adolescentes são os hormônios andrógenos que aumentam essa produção de sebo, facilitando a vida do fungo.

Nos adultos, por sua vez, o que percebo é que os episódios de dermatite seborreica tendem a acontecer em períodos de maior tensão ou nervosismo – é mais um exemplo da pele refletindo o nosso estado emocional. Para alguns pacientes, não há tratamento que garanta que a dermatite seborreica nunca mais voltará. Mas ela pode ser controlada com cremes ou loções específicos e, em alguns casos mais graves, com medicações via oral.

Para fazer a sua parte, além de usar os produtos indicados pelo dermatologista com disciplina, a pessoa precisa evitar banhos muito quentes, que também podem fazer a pele reagir, levando suas glândulas a secretarem mais sebo. E, para não fornecer matéria-prima em abundância a essas glândulas, vale evitar comida muito gordurosa no dia a dia.

Foliculite – É uma infecção de pele, na maioria das vezes provocada por bactérias ou fungos, que começa nos folículos onde nascem os pelos. Pode ser que o estopim seja um pelo encravado, especialmente se a pessoa decidiu cutucá-lo sem o menor cuidado. A pele nunca gosta disso.

O ponto infectado pode até lembrar uma pequena espinha que arde e coça. É quando estou diante de uma foliculite mais superficial. Se, no entanto, essa infecção atinge camadas mais profundas da pele, a foliculite pode evoluir para um furúnculo e infecções mais graves.

O que favorece o problema é uma depilação ou um barbear feito de qualquer jeito, deixando a pele machucada. Ou até mesmo a fricção provocada por roupas muito justas, por exemplo. Claro que existem outras causas, mas quem deve ficar especialmente atento é quem tem diabetes, problemas que abalam a imunidade, obesidade, acne ou dermatite, bem como todos os que precisam usar remédios corticoides ou antibióticos por longos períodos. Esse é o grupo mais vulnerável à foliculite.

Se a infecção é causada por uma bactéria, é fundamental a realização de exames capazes de revelar o tipo de microrganismo antes que o antibiótico seja receitado. E o mesmo vale para os fungos, mas, então, o indicado é o antifúngico.

O que você precisa fazer para ajudar o seu dermatologista no tratamento: evite raspar, depilar ou barbear a pele dessa região enquanto o problema não desaparecer de vez. Até porque a foliculite sempre tende a aparecer ou se agravar no local onde a pele está sofrendo algum trauma mecânico. Portanto, evitar escoriações e tudo o que a machuca ou irrita é uma maneira de prevenir a infecção do folículo.

Furúnculo – Ele aparece quando uma bactéria – frequentemente estafilococo – infecta o que a gente chama de folículo pilossebáceo, que seria a estrutura na pele onde fica a raiz de um pelo e o canal de saída de uma glândula sebácea. Por isso, é mais comum que um furúnculo aconteça em áreas de dobras, com muitos pelos e mais fáceis de a gente encontrar uma estafilococo, como virilha e nádegas.

Quando a bactéria cresce ali dentro, destruindo as células, o que se vê é um nódulo vermelho, quente e dolorido devido à inflamação que ela provoca. O furúnculo também é duro, porque o seu interior fica cada vez mais cheio de pus. Tanto é que chega um momento que aquilo se rompe sozinho, liberando esse líquido formado por células destruídas, tanto as da pele quanto as de defesa, e bactérias mortas.

No lugar do furúnculo rompido fica uma ferida aberta, que não fecha de uma hora para outra e que ainda é capaz de deixar uma marca escura de lembrança. Podemos indicar um tratamento para atenuá-la depois, mas o mais importante é, antes disso, cuidar do próprio furúnculo, lavando bem a região com sabonete bactericida. Além disso, o médico pode receitar antibióticos em forma tópica ou via oral.

Em alguns indivíduos, porém, o problema logo volta. Quadros assim, de repetição, são os que os dermatologistas chamam de furunculose. No caso, é preciso investigar a quantas anda o funcionamento do sistema imunológico, uma vez que as células de defesa parecem não dar conta de impedir que uma bactéria viva infectando o folículo. E, conforme o resultado dos exames, pode ser interessante um tratamento para fortalecer justamente as defesas do organismo.

Herpes simples – Estresse, outras infecções que causem febre, em algumas mulheres até mesmo o período da menstruação, exposição prolongada ao sol ou, pelo contrário, ficar muito tempo exposto a temperaturas extremamente frias são exemplos de situações que podem baixar a resistência do organismo. Quando isso acontece, é uma oportunidade para um vírus que a maioria de nós tem, e que passa a maior parte do tempo como se estivesse adormecido, se multiplicar. Trata-se do herpes-vírus simples ou simplesmente HSV.

Muitas pessoas têm esse vírus e, no entanto, ele nunca se manifesta. Em outras, ele sempre se aproveita do momento em que as defesas do organismo baixam a guarda. Quando começa a se replicar, a pessoa sente, primeiro, uma leve coceira. Em geral, isso acontece com maior frequência nos lábios ou nos genitais.

Depois de algumas poucas horas coçando, o lugar passa a arder. É quando surge uma lesão, que parece ser formada por inúmeras bolhas minúsculas. Ela é vermelha, inchada e bem dolorosa. Quando uma de suas bolhinhas se rompe, sai do seu interior um líquido que contém milhares de cópias do vírus. Por isso, sim, o herpes pode passar de uma pessoa para outra por meio de um beijo ou compartilhando talheres, copos, guardanapos, batons. Só depois que todas as bolhas são esvaziadas é que a ferida começa a secar e uma casquinha surge no local. Aí, já praticamente não existe mais o risco de transmissão.

O que há, em matéria de tratamento, é um medicamento chamado aciclovir. Ele não mata o vírus, mas apressa o seu ciclo de vida. Ou seja, uma lesão que iria incomodar por quase uma semana dura uns dois dias. Mas, claro, o ideal é que a pessoa passe a pomada com aciclovir sobre a lesão logo nos primeiros sintomas. Por exemplo, quando sentir uma área dos lábios começar a arder e coçar.

Herpes-zóster – Também chamado de cobreiro, é arrasador, porque o vírus dessa doença – o vírus da varicela-zóster (VZV), o mesmo da catapora – destrói completamente o nervo onde ele se aloja. Geralmente, quando não é vacinada – e esse é um grande problema dos dias atuais –, a criança tem a catapora. Em alguns casos, em vez de isso lhe garantir imunidade contra a doença para o resto da vida, o vírus fica em seu organismo até ser reativado décadas mais tarde em função de uma grande queda da imunidade.

Por isso, o herpes-zóster é bem mais comum em pessoas idosas, que podem já não ter as defesas tinindo, e em pacientes com doenças que provocam uma diminuição importante na capacidade do organismo se defender.

As lesões dessa doença formam linhas no corpo, acompanhando o trajeto do nervo acometido. O dermatologista prescreve analgésicos e antivirais e, em alguns casos, é preciso até mesmo internar o paciente para que o quadro não se complique. É quando a área afetada está próxima ao nervo ocular, por exemplo. Na verdade, esse é um problema difícil. Já vi pacientes em que a dor provocada pelas lesões persistiu por meses ou até anos depois de o vírus, em si, desaparecer.

O melhor mesmo seria prevenir. A vacina contra a catapora, tomada na infância, diminui muito o risco de alguém ter herpes-zóster na vida adulta. E hoje já existe um imunizante específico contra essa forma de herpes, que deve ser ministrado a indivíduos com mais de 50 anos.

Pitiríase versicolor ou pano branco – É uma micose provocada pelo fungo *Malassezia furfur*, que na realidade já costuma viver na pele de todos nós, fazendo parte da microbiota. A questão é que, se o clima é de muito calor, aumentando a oleosidade natural e o suor por conta disso, o ambiente fica ideal para esse fungo se proliferar.

Por isso, a pitiríase é bem mais comum no verão. E, como um sistema imunológico ainda imaturo ou mais debilitado dá a oportunidade para o crescimento desordenado desse fungo, a gente costuma ver mais casos em crianças e em idosos. Mas é preciso lembrar que, hoje em dia, ficar com as defesas abaladas e isso interferir na pele, provocando esse e outros problemas, já está se tornando um fenômeno frequente em qualquer idade, por causa do estresse e da ansiedade em alta.

Quando o fungo cresce de maneira descontrolada, o que você enxerga são manchas brancas. Mesmo que o avanço do problema seja barrado com remédios para conter o *Malassezia furfur*, elas podem demorar uns seis meses para desaparecer.

Psoríase – Aqui temos placas vermelhas que se descamam sem parar, tornando a pele da região afetada mais espessa. Pudera! Normalmente cada centímetro quadrado de pele produz umas 1.250 células novas por dia. O mesmo centímetro quadrado, nas áreas atingidas pela psoríase, produz até 35 mil células por dia, em casos graves.

A doença é mais frequente entre os 20 e os 40 anos de idade. E, uma vez que aparece, tende a se tornar crônica, voltando em períodos de maior cansaço ou de crises emocionais ou até mesmo em função do uso de certos medicamentos necessários para o tratamento de outros problemas de saúde.

Há um componente genético, disso eu não tenho dúvida: um terço aproximadamente das pessoas com psoríase tem familiares com essa mesma condição. Não há cura e todas as medicações que prescrevemos são para manter a situação sob controle. Em alguns casos, o uso de laser e banhos controlados de sol também ajudam bastante.

Rosácea – O rosto fica vermelho, com inchaços, nódulos, pontos de pus e o que nós, dermatologistas, chamamos de telangiectasias, ou seja, cheio de vasinhos finos marcando a pele. Isso é mais comum em mulheres de pele clara, entre 30 e 50 anos. Não significa que não possa acontecer em homens. Embora eles sejam minoria entre os pacientes com esse problema, o quadro deles tende a ser até mais grave.

Trata-se, no fundo, de uma inflamação vascular, isto é, dos vasos que irrigam a pele, e alguns fatores vivem sob a suspeita de serem gatilhos para a rosácea. Um exemplo é a acne grave na adolescência, especialmente caso tenha persistido até a vida adulta. A hipertensão também parece favorecer o aparecimento dessa condição, bem como problemas gastrointestinais – e aqui, de novo, chamo a atenção para a importância de uma microbiota do intestino saudável e equilibrada.

Não há cura para a doença. Todo tratamento prescrito pelo dermatologista será para controlar as crises. O laser e a luz pulsada, porém, podem ser ótimos para atenuar os vasinhos aparentes, com resultados excelentes nesse sentido. É um problema benigno, mas que afeta a autoestima.

Urticária – É uma irritação da pele, mais comum entre os 20 e os 40 anos de idade, que pode apresentar vergões, ficar levemente inchada e coçar muito. Existem casos que são agudos, isto é, que surgem de repente e desaparecem em alguns dias. No entanto, quando os sintomas duram mais de seis semanas, sei que se trata de um quadro crônico, que pode ter tido como gatilho um remédio, um alimento, infecções e outros, ou até mesmo ter surgido espontaneamente, sem razão capaz de justificá-lo. Sempre preciso fazer uma consulta com toda a calma, levantando uma série de questões, além de pedir exames para descobrir o tipo. Isso pode fazer diferença na opção terapêutica.

Nos quadros agudos, o certo é afastar do dia a dia aquilo que o desencadeou. Os pacientes crônicos podem ser tratados com antialérgicos, mas, como uma parcela não responde tão bem a esse tratamento convencional, então cogito outras opções.

Para evitar que uma urticária volte ou se agrave – além de se afastar daquilo que provoca a alergia na pele, como já expliquei –, é bom que a pessoa tente não ficar muito estressada, nem beba álcool em excesso ou consuma alimentos cheios de corantes e conservantes. Tudo isso piora a situação de uma pele que tende a se irritar por qualquer bobagem.

Vitiligo – Nessa doença, nota-se uma perda de coloração da pele, surgindo manchas completamente brancas. Isso porque, nos locais afetados, há um desaparecimento ou uma diminuição drástica dos melanócitos, que são as células da pele encarregadas de produzir o seu pigmento, a melanina. Até mesmo os cabelos podem se tornar brancos. Existe a possibilidade de haver um fenômeno autoimune por trás da doença, com as defesas do próprio corpo atacando os tais melanócitos. Mas é certo também que crises emocionais desencadeiam ou pioram o vitiligo.

O paciente experimenta períodos de perda de cor e de estagnação. O fato de ser uma doença sem cura não significa que não há nada a fazer. Existem opções terapêuticas tanto para evitar que as manchas cresçam quanto para ajudar a pigmentar novamente as áreas sem cor.

Fototerapia, lasers ou medicamentos estão entre as possibilidades, mas antes o dermatologista precisa avaliar cada caso para combinar esses recursos da melhor maneira possível. E o futuro promete: um dos avanços mais promissores é um chip que, implantado sob a pele, consegue programar uma pigmentação a partir das células que restarem sadias. Mas, para isso, o quadro de vitiligo precisa estar estável.

Existem ainda – e preciso destacá-los – os remédios biológicos, que começaram a aparecer há cerca de quinze, vinte anos e que não param de evoluir cada vez mais. Eles vão direto no alvo da célula problemática e têm sido cada vez mais usados pelos dermatologistas para tratar diversas doenças, entre elas o vitiligo.

> **Minha Dica**
>
> *São problemas muito diferentes os que apresentei aqui e, se for para eleger uma dica universal, válida para todos eles, seria buscar um dia a dia mais equilibrado, com menos estresse.* Talvez você tenha notado que várias dessas doenças de pele aparecem justamente em fases nas quais estamos mais frágeis emocionalmente, ou cansados. Ora, o estresse de fato abala o sistema imunológico, criando a oportunidade para infecções ou agravando reações inflamatórias. Lembra-se do que lhe contei no início deste livro?
>
> É claro que existem situações em que o próprio problema na pele interfere negativamente nas emoções. Quase nunca dá para escondê-lo e, na maior parte das situações, a doença fica literalmente exposta e o paciente se sente igualmente assim. Lesões de pele podem ser carregadas de estigma, e quem as tem teme que os outros, de alguma maneira, se afastem por causa delas, por exemplo.
>
> Isso cria um ciclo nada bom: a autoestima afetada gera estresse, que, por sua vez, piora o estado da pele. Em casos assim, seja franco consigo: note o quanto a situação da sua pele está mexendo com você e busque ajuda. Não só a ajuda do dermatologista, mas também a de outros profissionais capazes de auxiliar no fortalecimento da saúde mental. Esse trabalho em conjunto poderá trazer melhores resultados.

19

A luz de uma nova era

As possibilidades de aplicação do laser na medicina não param de crescer, em áreas que vão das cirurgias oculares aos novíssimos tratamentos de câncer. Na oncologia, muitas terapias a laser ainda estão sendo testadas, como a ideia de direcionar essa radiação luminosa ao órgão doente, ativando nanocápsulas com medicamentos capazes de destruir células malignas. Na dermatologia, afirmo com a maior tranquilidade: o aparecimento dos lasers é um divisor de águas. Inclusive para resolver lesões pré-malignas ou até mesmo malignas sem a necessidade de cirurgia.

No consultório do dermatologista, os lasers apagam manchas e vasinhos, atenuam cicatrizes e rugas, eliminam pelos, ajudam a tratar a acne ou a acabar com as marcas, podem rejuvenescer as regiões íntimas do corpo, melhorando a saúde sexual das mulheres na menopausa, e, sem dúvida, devolvem o viço ao rosto. Mas aviso que não existe uma máquina de laser que faça isso tudo. Desconfie de promessas de milagre, ainda mais se dizem que o santo milagreiro para todo tipo de situação é um só.

Porque, na realidade, é o contrário: hoje, posso dizer que é praticamente padrão combinar mais de um tipo de laser para alcançar um resultado desejado qualquer.

O termo laser é, na realidade, a sigla da expressão em inglês *light amplification by stimulated emission of radiation*. Ou seja, é uma radiação eletromagnética que, como já contei, pode ser usada para diversas finalidades. E toda radiação eletromagnética, para explicar de um jeito simples, é uma energia. No caso do laser, o feixe é, diferentemente da luz que enxergamos, focado ao extremo. E, desse modo, ele acerta precisamente um alvo específico na pele, provocando alterações bem ali.

Esse alvo pode ser o pigmento melanina, que fica mais concentrado nas manchas. Por isso, posso usar o laser para apagá-las, tirar sardas, dar um fim às melanoses. Ou, ainda, o alvo pode ser a tinta de uma tatuagem, que o paciente deseja apagar. Existem também os lasers que miram só o que é vermelho, que são ótimos para acabar com aqueles vasinhos que despontam no rosto de algumas pessoas. E por aí vai. Chamamos de cromóforos os pigmentos reconhecidos e atingidos como alvo, os quais absorvem a luz com um comprimento de onda específico.

Há também os lasers que alvejam o que é translúcido, como a água no interior das células. Ela então fica superaquecida a ponto de lesionar o colágeno e ele terminar sem outra saída a não ser se regenerar, formando fibras novas e mais firmes. Quando isso acontece, a gente observa, inclusive, uma espécie de retração, e é como se ela deixasse a pele mais esticada. Aliás, não sei de onde veio um mito de que o laser deixa a pele mais fina. É o oposto: se usado para estimular um novo colágeno, ele deixa a pele mais densa.

A evolução dos lasers

Quando surgiram os primeiros tratamentos desse tipo nos consultórios de dermatologia, as pessoas diziam que o laser ardia demais, queimava, deixava a pele toda machucada e, por causa disso mesmo, às vezes produzia cicatrizes, sendo um tiro no pé. Não é muito justo: os problemas aconteciam e, infelizmente, ainda acontecem quando o tratamento a laser é feito por um dermatologista sem habilitação para aplicá-lo. Esse é o maior perigo. Mas, sim, reconheço que, no início, era mais sofrido.

Naquela época, tínhamos apenas o laser de CO_2 não fracionado. Ele era extremamente potente, de fato bem mais agressivo e promovia um peeling tão intenso que toda a superfície da pele acabava sendo removida. Em carne viva, o paciente tinha de se afastar da sua rotina por algumas semanas. Mas preciso ser franca: apesar desse sofrimento todo, o resultado era excelente quando se tomavam todos os cuidados e o que se buscava era um rejuvenescimento marcante ou eliminar uma cicatriz.

O principal fator a ser analisado em um laser é o comprimento de onda dessa radiação. Os primeiros lasers de CO_2, no caso, tinham um grande comprimento de onda, alcançando uma boa profundidade. Hoje, temos vários lasers à disposição e o dermatologista sabe qual usar em cada caso, conforme a finalidade. Que camadas da pele preciso atingir? É a primeira pergunta.

Os raios fracionados

Outro fator é fracionamento. Os lasers de CO_2 do passado agrediam a pele inteira e ela, com isso, demorava muito mais para se recuperar. Hoje, praticamente todos os lasers de CO_2 são fracionados. Aliás, de modo geral, o surgimento dos lasers fracionados foi decisivo para o sucesso cada vez maior desses tratamentos.

O que significa dizer que um laser é fracionado? Imagine que o aparelho emita raios que entram na pele de modo alternado, como se fizessem furinhos mais finos do que o diâmetro de um fio de cabelo. Cada um desses buracos microscópicos está cercado de pele sã, que foi poupada da radiação. Isso ajuda a regenerar mais depressa, porque é como se o pequeníssimo machucado fosse uma ilha cercada de boa irrigação, levando tudo o que ele necessita para se recuperar direito. Na prática, a tecnologia dos lasers fracionados fez despencar o risco de manchas, crostas e cicatrizes.

A questão do tempo

No começo a gente trabalhava com equipamentos que emitiam raios por segundos. Com o tempo, porém, surgiram aparelhos com pulsos de radiação de milissegundos, ou seja, de milésimos de segundo. Depois, vieram os de nanosegundos, que já seriam intervalos de tempo de 1 ínfimo bilionésimo de segundo. E agora os aparelhos mais modernos têm pulsos de 1 picossegundo, unidade de tempo equivalente a 1 trilionésimo de segundo.

A vantagem dos pulsos tão rápidos é que, no final, não existe um efeito térmico tão intenso e, com isso, a agressão à pele se torna infinitamente menor, evitando de vez as manchas que, antes, eram sempre um risco que tínhamos de correr, apesar de ele ser controlado por uma série de cuidados.

A segurança aumenta ainda mais e o resultado de qualquer tratamento a laser melhora bastante quando trabalhamos de acordo com a realidade brasileira. Não adianta simplesmente os médicos importarem os protocolos de tratamento usados no exterior, como se fossem uma receita pronta. Afinal, ela nem sempre cai tão bem em um país onde o verão dura praticamente o ano inteiro.

Pensando em Brasil e na pele dos brasileiros com suas características, prefiro fazer mais sessões com os aparelhos, usando menos energia em cada uma delas.

> **Minha Dica**
>
> *A primeira orientação é aquela que já dei e não me cansarei de repetir: procure um dermatologista* e, mais do que isso, um dermatologista que tenha passado por treinamento para fazer tratamentos a laser.
>
> Antes de se entusiasmar e já partir para a primeira sessão, marque uma conversa. Pergunte que tipo de laser será usado no seu caso e, com jeitinho, peça para ver a máquina como quem quer matar uma curiosidade. Ou apenas indague pelo nome dela.
>
> Eu conto o motivo: a maior parte dos problemas que encontramos vem de alguém que prescreve sessões de um tipo de laser que não seria o mais indicado para resolver determinado problema.
>
> Existem muitos e muitos lasers diferentes. Como saber qual serve para você? Ora, pesquise na internet buscando fontes confiáveis, como sociedades médicas, para ver se aquele laser é realmente para o que você quer resolver.
>
> E quando sugiro ir mais fundo, descobrindo até o nome da máquina, é porque infelizmente muitas vezes o profissional fala em um laser, mas na hora H o aparelho é outro. E os pacientes não têm como saber, a não ser que também pesquisem no site do fabricante antes de marcar a sessão. Por isso, conhecer a marca registrada da máquina, que sempre aparece estampada na própria, pode ser uma informação preciosa.

Procure notar, inclusive, se por acaso se trata de uma empresa grande e consolidada. Tudo isso conta. Como a qualidade do feixe de laser vai depender bastante da tecnologia do fabricante, o melhor é que seja uma de ponta.

Com um profissional experiente, usando o laser certo para determinada pele e para o que se pretende corrigir, os resultados são imbatíveis. Em matéria de rejuvenescimento, quando bem aplicados, os lasers podem adiar a necessidade de uma cirurgia estética ou muitas vezes até substituí-la.

20

A toxina antirrugas

Foi no final dos anos 1990 que um casal de médicos canadenses, Jean e Alastair Carruthers – ela, oftalmologista; ele, dermatologista –, notou que a toxina produzida pela bactéria *Clostridium botulinum*, a causadora do botulismo, poderia trazer benefícios estéticos. A substância, então, já era estudada para tratar problemas oculares havia mais de três décadas, tendo sido as primeiras evidências de seu uso medicinal com o estrabismo.

A doutora Jean, no caso, usou-a para ver se resolveria casos de blefaroespasmo, uma espécie de tique nervoso que provoca um piscar brusco dos olhos. E certa vez, é o que dizem, durante a consulta de retorno de um de seus pacientes, quando ela lhe perguntou se o problema tinha melhorado, ouviu: "O piscar não melhorou muito, mas as minhas rugas, sim". Foi o que bastou para que ela e o marido investigassem esse efeito da toxina. E isso, sem dúvida, acabou representando um enorme avanço na medicina estética – e não que ela seja usada só para esse fim nos consultórios de dermatologia.

No Brasil, a toxina botulínica começou a ser aplicada a partir de 2000, quando foi aprovada pela Agência Nacional de Vigilância Sanitária (Anvisa). Não importa a marca, nem o país de origem, a substância que usamos em tratamentos estéticos é a do tipo A, sempre. Existem outros tipos, usados com sucesso em tratamentos de outras especialidades médicas, mas eles não têm eficácia na dermatologia. Assim, sendo sempre a toxina do tipo A, o que muda de uma para outra é a concentração.

Aliás, é importante você saber que uma aplicação para atenuar as rugas dura, em média, de quatro a cinco meses. O que pode acontecer é uma variação em função da diluição da substância: existem médicos que a diluem demais e, daí, seu efeito dura menos. Outros dermatologistas a diluem pouco e, no caso, o efeito dura mais. Eu? Prefiro o meio-termo sempre.

As rugas das contrações faciais

Também chamadas de rugas dinâmicas ou, como se diz por aí, marcas de expressão, aparecem geralmente a partir dos 30 anos, de tanto que os músculos de uma determinada região ficam contraídos.

A sessão para a aplicação da toxina, em si, não dura mais do que 15 minutos. O que leva mais tempo para fazer efeito é a pomada de anestésico que a gente passa em cada área que vai receber uma picada. Fazemos isso para que o paciente sinta, no máximo, um leve ardor quando a substância é injetada.

Ao penetrar em determinado músculo facial – o que queremos evitar que se contraia –, a substância se liga depressa às terminações nervosas. Melhor dizendo, ela vai parar em uma região entre dois neurônios, a chamada fenda sináptica, onde uma dessas células passa para a outra a mensagem de que a ordem é para contrair aquele músculo, feito uma brincadeira de telefone sem fio. Pois bem: essa mensagem é, na realidade, uma molécula chamada de acetilcolina, o neurotransmissor responsável pelas contrações. E o que a toxina faz é inibi-la. Portanto, há uma paralisação temporária dos movimentos daquela fibra muscular.

Esse efeito demora uns três dias para começar a aparecer, e o resultado final diante do espelho você só consegue visualizar passado um mês. Com o tempo, porém, a toxina botulínica vai sendo metabolizada pelo organismo e, daí, tudo volta a ser como antes. A não ser que a pessoa decida fazer uma nova aplicação.

O medo de ficar com cara de boneco

O medo existe, mas não faz sentido se você buscar um dermatologista sério e bem treinado. É bem verdade que é preciso entender quais são as expectativas de cada paciente. Sim, existem aqueles que desejam o que vou chamar de um resultado mais duro e pedem por isso. Mas, se perguntam o que acho, particularmente não gosto quando a pessoa fica quase com a mesma expressão, não importa se está rindo ou chorando. Gosto de tudo muito sutil, deixando um pouco de movimento nas áreas em que aplico as injeções e tirando apenas o excesso de contração que, aos poucos, vai deixando a pele marcada.

Na minha opinião, uma toxina bem aplicada não fica na cara. Portanto, é puro mito imaginar que todo mundo que faz esse tratamento sai com o rosto igual. Também não é verdade que, depois de passar o efeito, a pessoa enruga mais, nem que a substância causaria uma atrofia muscular ou levaria a problemas mais graves por ser obtida de uma bactéria que, na natureza, é capaz de provocar uma doença grave. Isso tudo é bobagem. Ela é segura, não agrava rugas, muito menos causa atrofia.

A única coisa que antes eu mesma negaria e que, agora, a gente infelizmente começa a ver: existem, de fato, pessoas que, com o tempo, adquirem anticorpos contra a toxina botulínica e, daí, ela deixa de fazer efeito. Antes nós, dermatologistas, achávamos que isso não iria acontecer.

No entanto, vale ponderar sobre quem são esses indivíduos que desenvolvem uma resistência à substância: são justamente aqueles que por um bom período fizeram aplicações em intervalos curtos, como a cada dois meses. Ou seja, eles repetiam a dose quando mal percebiam que os efeitos estavam regredindo. Esse estímulo exagerado só poderia despertar uma reação do organismo. Não faça isso. Se desejar repetir a experiência, respeite o prazo indicado pelo seu médico.

Para um melhor resultado

Se a toxina botulínica funciona nas marcas que surgem de tanto a pele sofrer com o estica e amassa dos movimentos faciais, fica claro que ela não oferece um resultado tão bom quando as rugas têm a ver com um envelhecimento acentuado. Faz sentido: não adianta tanto relaxar a musculatura se a pele por cima dela está toda flácida. O ideal é que essa pele ainda tenha tônus.

No rosto, a substância pode ser injetada em dois pontos, bem no meio de uma testa que está sempre franzida – a gente os chama de **ventres do músculo frontal**. Existe ainda o **prócero**, um pontinho um pouco abaixo da área entre as sobrancelhas, as quais a gente vive aproximando quando, por exemplo, força a visão. Outros pontos são os **corrugadores**, também abaixo das sobrancelhas, mas rentes ao nariz. Na região dos famosos pés de galinha, perto das têmporas, existem três pontos de cada lado, que são os **orbiculares dos olhos**. E, finalmente, existem dois pontos que são os **orbiculares da boca**.

O dermatologista precisa de um olhar apurado para as expressões faciais a fim de saber em que pontos deve aplicar a toxina e em qual quantidade em cada um deles. Até porque o médico pode aproveitar esse momento para resolver pequenas imperfeições, paralisando mais um lado do que outro, por exemplo, para corrigir lábios ou sobrancelhas visivelmente assimétricos.

Cuidados

Nas quatro horas posteriores à aplicação, você não deve se deitar nem abaixar a cabeça, assim como não pode encostar, muito menos apertar, as áreas onde foram feitas as aplicações. Tudo isso para impedir que a toxina se espalhe para outros músculos faciais que não são o alvo do tratamento. Aí seria um desastre – e um desastre que vai durar alguns meses. Pela mesma razão, ninguém deve fazer exercício físico como corrida, aula de ginástica localizada ou musculação antes de 24 horas.

Excesso de suor: outra indicação da toxina botulínica

São muitas as aplicações dessa substância em outras especialidades da medicina. Vão desde a correção de problemas oftalmológicos, como foi no início de tudo, até tratamentos para incontinência urinária, tiques nervosos, contraturas musculares constantes e enxaquecas. Mas quero destacar um outro papel importante no consultório do dermatologista: controlar o suor excessivo que toma conta das plantas dos pés, das axilas e das palmas das mãos de pessoas que têm um problema chamado hiperidrose. Ele é caracterizado por uma atividade absurdamente intensa das glândulas sudoríparas.

No caso, de novo a toxina bloqueia o neurotransmissor acetilcolina. Só que, dessa vez, nas terminações nervosas que se encontram ligadas às glândulas produtoras do suor. Com isso, ele diminui drasticamente.

Não posso esconder: as injeções para controlar a hiperidrose, especialmente nas mãos e nos pés, podem ser dolorosas. Pode até valer a pena trocar a pomada anestésica por uma injeção de anestesia local, que é mais forte. No entanto, para quem sente muito constrangimento por viver com a camisa manchada sob as axilas ou por estender as mãos molhadas ao cumprimentar alguém, costuma valer a pena o sacrifício. O suor deixa de escorrer em excesso depois de uma semana, no máximo. E o efeito do tratamento pode durar de seis a oito meses. Aí será preciso marcar uma nova sessão para a suadeira não voltar.

> **Minha Dica**
>
> *Cuidado ao escolher quem irá aplicar a toxina em seu rosto.* Penso que todo profissional com conhecimento e segurança é capaz de oferecer um tratamento bem-feito. A questão que coloco é: que conhecimento é esse? Com certeza não é o de um curso de algumas aulas, nem de fim de semana.
>
> Para fazer aplicações de toxina botulínica, o profissional de saúde precisa saber profundamente de detalhes de anatomia e da mímica facial. Então, no mínimo, precisa ser de fato um profissional da saúde com formação superior na área.
>
> E o que posso dizer é que, sem medo de parecer estar simplesmente defendendo os dermatologistas, a maneira e a quantidade de toxina botulínica que injetamos em cada ponto do rosto mudou nos últimos anos. Posso garantir que eu mesma não aplico essa substância da mesma maneira que há 25 anos, quando passei a usá-la em pacientes. Ou seja, é preciso uma atualização constante para garantir os melhores resultados.

Sempre digo que fiz seis anos de faculdade de medicina e, depois, três anos de clínica médica antes de passar mais três me especializando só em dermatologia. O que quero dizer é que, como médica, não seria ilegal que eu me propusesse a, por exemplo, fazer um parto! Mas eu não me especializei em partos, como um obstetra. E muito menos saberia cuidar de dentes.

Toxina botulínica em mãos pouco habilidosas e que não passaram por anos de treinamento, além de constantes cursos de atualização a seu respeito, pode provocar desde uma expressão facial artificial até pálpebras fechadas ou caídas, sobrancelhas desalinhadas, dores de cabeça constantes, paralisia do lábio superior e, em casos mais extremos, dificuldade para engolir. Eu, no seu lugar, procuraria fazer esse tratamento com um dermatologista.

E, finalmente, vale lembrar que a toxina botulínica não é indicada para todo mundo. Grávidas e mulheres que estejam amamentando devem esperar para usá-la, assim como pacientes com determinadas doenças neurológicas ou capazes de levar à baixa na imunidade.

21

Preencher na medida certa

Quando há perda de volume da pele, a toxina botulínica já não resolve, como no caso do bigode chinês, aquele par de sulcos verticais e paralelos que desce da altura do nariz e ultrapassa os lábios. O melhor é lançar mão dos diversos preenchedores disponíveis para repor o volume perdido. Eles são classificados em três grupos.

Para sempre é muito tempo

O primeiro grupo é o dos preenchedores definitivos que, como o nome diz, não têm volta. O resultado fica para a eternidade. Ou melhor, quando há erros, as cirurgias para tentar consertá-los nunca são simples, nem muito eficazes.

No Brasil, a Anvisa aprovou o uso para preenchimento definitivo de uma substância da família do metacrilato – o polimetilmetacrilato, ou PMMA. Ele já foi muito usado para preencher nariz e bochechas, ganhando fama até mesmo em programas de transformação do visual que, no passado, deram muita audiência na televisão.

No entanto, se você me perguntar: "Adriana, você usa?", minha resposta será um sonoro não. Além das reações adversas que esse tipo de substância pode provocar, como inflamações crônicas em alguns pacientes, sou abertamente contra todo e qualquer procedimento definitivo feito em consultório de dermatologia. Respeito quem decidiu oferecer esse tipo de tratamento estético, mas eu não realizo preenchimento definitivo, nem maquiagem definitiva, nem nada disso.

Aliás, acho bom fazer um alerta: em tese, entre os preenchedores definitivos estaria o silicone. Infelizmente, a gente sabe que existem alguns lugares pelo país que oferecem essa alternativa para modelar a face. Ela é ilegal, porque esse não é um tratamento com o aval da Anvisa.

Efeito passageiro

Os dermatologistas preferem os preenchedores reabsorvíveis, que vão sendo assimilados pelo organismo aos poucos com o passar dos meses. Logo, o efeito vai desaparecendo no mesmo ritmo. Todos os tipos reabsorvíveis costumam ser derivados do ácido hialurônico, uma molécula naturalmente presente no corpo humano. E 56% do ácido hialurônico corporal, que tem a capacidade de atrair água, se concentra na pele, ficando no espaço entre suas células. Portanto, ao preencher esses espaços de líquido, a substância cria volume e deixa todas as camadas da pele mais elásticas e hidratadas.

Ocorre que, há mais ou menos 25 anos, uma empresa conseguiu sintetizar essa molécula. Hoje, os laboratórios já criaram, inclusive, variações a partir dessa molécula sintética original. Desse modo, posso optar por uma variedade de ácido hialurônico que puxa ainda mais água, se notar que em determinado paciente a desidratação é o maior problema. Ou posso escolher outra versão, cuja grande qualidade seja preencher rugas finíssimas. Existem, ainda, moléculas com maior potencial para dar volume, que uso quando percebo que há uma grande perda dele. E há também moléculas que deixam a pele mais tensa. É preciso um olhar experiente para saber qual tipo aplicar e exatamente onde.

Aliás, hoje em dia uma grande preocupação na minha área médica é com preenchimentos feitos fora de consultórios ou serviços de dermatologia, mesmo sendo de ácido hialurônico, que é reabsorvível. Existem casos registrados de necrose de septo nasal, por exemplo, que podem acontecer quando o procedimento é mal realizado no nariz, com a intenção de criar uma ponta ou dar a impressão de nivelar o seu osso. O problema é que, por se tratar de uma região altamente vascularizada, essa característica exige um conhecimento estupendo de anatomia.

Ora, se o ácido hialurônico cai em um vaso onde existe um tronco, o risco de necrose é muito grande. Se ele é injetado além da conta, aí nem se fala! Quando isso acontece, mesmo que tenha sido aplicada fora do vaso, a substância criará uma pressão que acabará por esmagá-lo de fora para dentro até interromper a circulação. Em um primeiro momento, o paciente não sente nada. Depois, ao chegar em casa, confunde a sensação esquisita com algo normal do procedimento e acaba buscando socorro tarde demais, quando o tecido já morreu.

A quantidade certa

Além de chamar a atenção para preenchimentos nessas áreas de risco – entre as sobrancelhas é outra região complicada –, também me preocupo com a quantidade do produto. Hoje existem diversas técnicas de harmonização facial e, em algumas delas, o profissional chega a usar de 20 a 25 ampolas de ácido hialurônico no rosto a fim de corrigir o que, na visão dele, seriam imperfeições. Sendo honesta, com todos os meus anos de experiência fazendo preenchimentos, nunca apliquei mais de 20 ampolas no rosto de ninguém e não gosto da ideia.

O exagero faz o rosto perder suas concavidades. Acima de tudo, perde a mímica natural. Às vezes, uma maçã preenchida demais nas bochechas dá a ilusão de que está bonita se a pessoa permanece muda e parada. No instante em que ela abre a boca e começar a falar, porém, é como se as maçãs excessivamente preenchidas fossem protuberâncias que não pertencem ao resto do rosto.

Os bioestimuladores

Eles formam o terceiro grupo ou categoria. E, na realidade, o que fazem é dar um empurrãozinho para a própria pele produzir suas fibras e recuperar a firmeza. Eu, particularmente, sou fã do ácido polilático, que uso desde 2003 nos pacientes. Ele foi originalmente desenvolvido para tratar pessoas vivendo com HIV, que perdiam muito volume no rosto. E é realmente excelente para induzir a produção de colágeno na pele, acabando com a flacidez e devolvendo um contorno mais firme e definido ao rosto e ao pescoço. Aliás, as injeções da substância têm principalmente essa finalidade e não tanto a de preencher rugas finas, como pode fazer o ácido hialurônico.

Outro bioestimulador bastante usado é a hidroxiapatita de cálcio. Ela também estimula o colágeno e, com isso, recupera a firmeza e a elasticidade do tecido. E uma terceira substância é a policaprolactona, que ajuda a recuperar o volume perdido se houver muita diminuição da gordura subcutânea, como nas peles muito maduras ou de pessoas que perderam muito peso. Só é preciso ter muito cuidado em sua aplicação porque uma quantidade menor da molécula já pode criar um bom volume no local de aplicação. Por isso, costumo dizer que não podemos injetá-la com a mão pesada. Sem contar que o efeito dura mais de ano. Então, qualquer exagero fica na cara por mais tempo.

> **Minha Dica**
>
> *Gostaria que você prestasse atenção ao seguinte: nosso rosto é assimétrico.* Temos sempre um olho mais caído do que outro ou lábios que se esticam mais para um lado. E, sim, ele pode se tornar mais assimétrico ainda com o tempo, já que até o jeito como apoiamos o rosto no travesseiro colabora para isso noite após noite.
>
> Um preenchimento – ou qualquer outro procedimento estético facial com o intuito de rejuvenescer – deve respeitar essa assimetria. Tudo bem atenuá-la, mas sem a pretensão de igualar tudo. Ou o resultado será desastroso.
>
> O que costumo fazer é tirar fotos antes e depois do procedimento. Eu sei, muitos colegas também fazem isso. Mas o importante é, mais do que registrar a imagem, alguém lhe chamar a atenção para as suas assimetrias. Ou, quem sabe, você mesmo deveria fazer isso, investindo alguns minutos nesse exercício de observação para perceber essas diferenças. Se elas se tornaram mais evidentes, como disse, tudo bem atenuá-las com a técnica indicada pelo seu dermatologista. Mas atenuar não é criar à força uma simetria que nunca existiu.
>
> Fique atento, também, se a vontade de mexer no rosto está se tornando muito frequente. Todos nós temos ideais de beleza, mas às vezes eles se transformam em compulsão, especialmente se já havia uma tendência a esse tipo de transtorno. Pelo que observo em alguns pacientes, a situação de quem faz um procedimento atrás de outro para alterar a fisionomia ou as formas do corpo não é tão diferente do que uma bulimia ou uma anorexia, quando a

pessoa, magra até demais, se enxerga como se carregasse um corpo enorme.

No caso, por mais que você diga que a pessoa está sem rugas, ela se vê enrugada. Se discorda que seja necessário preencher mais, ela se frusta. Porque realmente se enxerga de outra maneira. Ao dermatologista, penso eu, cabe colocar um freio, conversar e até, se houver espaço, encaminhar esse paciente para um colega psiquiatra capaz de ajudá-lo no tratamento do transtorno de imagem. Mas eu sinto dizer que muitas vezes, quando explico o que está acontecendo e desaconselho um procedimento, a pessoa sai da minha sala aparentemente convencida, só que para nunca mais voltar. É quando desconfio que ela encontrou alguém que aceitou fazer mais um procedimento descabido. Pena.

22

Os novos segredos dos cosméticos anti-idade

Hoje, o setor farmacêutico voltado à beleza é um dos que mais crescem no mundo. E há sempre uma nova descoberta. Para dar um exemplo, os cientistas revelaram que a melatonina tem um excelente efeito antioxidante e protege as membranas das células da pele, inclusive em uso tópico. O hormônio produzido pela glândula pineal, localizada em uma região bem central do cérebro, durante muito tempo foi estudado quase exclusivamente pelo seu papel no estabelecimento do ciclo sono e vigília do corpo humano.

Também fez muita diferença, quando penso na evolução dos cosméticos, o avanço da nanotecnologia nas últimas décadas. Permitiu a criação dos nanossomas, que são como bolhas com um diâmetro entre 1 e 100 namômetros, considerando que o nanômetro equivale a 1 bilionésimo de metro. E, dentro deles, você encontra nanopartículas de princípios ativos.

Como é tudo tão pequenino, os nanossomas conseguem entregar altas concentrações desses ativos em frestas entre as células, otimizando sua ação. Há alguns anos, achávamos o máximo ter loções com 10% de vitamina C na sua formulação, por exemplo. Hoje, graças à nanotecnologia, existem cosméticos com 30% de vitamina C que não se perde, alcançando todas as células por esses vãos entre umas e outras.

Meus destaques

Escreveria páginas e mais páginas se fosse listar todos os ativos em cosméticos para evitar o envelhecimento precoce ou acentuado e manter a saúde da pele. Então, vou destacar aqueles que ou começaram a ser usados mais recentemente, ou ganharam uma importância ainda maior.

Ácido ascórbico – Esse é o nome científico da vitamina C. E talvez você se pergunte por que só mais recentemente ela se tornou uma vedete na dermatologia. Afinal, não é de hoje que sabemos que a vitamina C faz muito bem para a saúde e, mais do que isso, é um dos agentes mais potentes contra os radicais livres. A resposta é simples: a molécula da vitamina C é das mais delicadas. Luz e mudanças de temperatura podem mandá-la para o espaço, de maneira que, no passado, era impossível pensar em entregá-la à pele garantindo que chegaria ativa às suas células, sem se perder em segundos.

Tudo começou a mudar quando cientistas japoneses desenvolveram o ácido ascórbico glicosado, uma molécula de vitamina C envolta por moléculas de glicose que, de uma maneira superficial, funcionam como um escudo, garantindo a sua estabilidade.

Uma vez que o ácido ascórbico glicosado presente em algum produto é passado na pele, uma enzima natural do organismo é capaz de quebrar, aos poucos, as moléculas de glicose, liberando a vitamina C pura para as células. Essa inovação permite que ela seja totalmente aproveitada.

E a grande vantagem é que, em um país de verão quase eterno como o nosso, a vitamina C de alguns cremes pode funcionar como uma proteção a mais à luz solar. Ela não barra a radiação, como um filtro, mas vai varrendo os radicais livres que são produzidos quando ficamos expostos aos raios ultravioleta, cortando os danos pela raiz.

Ácido ferúlico – Ele é mais um potente antioxidante, encontrado naturalmente em vegetais como o abacate, a aveia, a berinjela, a beterraba, a soja e em muitos outros. Entretanto, são concentrações que provavelmente não alcançam o máximo potencial para a pele. Por isso, vale investir em dermocosméticos com a substância. O ácido ferúlico por si só, ao combater os radicais livres, previne rugas finas, flacidez e alterações de tom. E, se combinado com a vitamina C ou com a vitamina E, potencializa os efeitos benéficos contra os sinais do tempo dessas duas outras substâncias.

Ácido glicólico – Existe um grupo de substâncias que normalmente são encontradas sobretudo em frutas e em outros tipos de alimentos. Elas são conhecidas como alfa-hidróxiácidos (os benditos AHAs) e todas funcionam, em maior ou menor grau, como esfoliante. Há o ácido fítico, extraído do arroz; o lático, do leite; o málico, das maçãs; o mandélico, das amêndoas. Mas talvez, entre os AHAs, o ácido glicólico que vem da cana-de-açúcar seja o mais popular. Ele promove a renovação da pele graças ao efeito esfoliante, que ajuda a tratar rugas. Também pode ser um bom despigmentante, usado em formulações para atenuar sinais de acne, melasmas, cloasmas, manchas de sol ou aquelas que surgiram após a pele ficar inflamada.

Ácido hialurônico – O mesmo ácido hialurônico que injetamos em preenchimentos realizados em consultório pode ser aplicado por meio de produtos usados em casa nos cuidados diários. Como expliquei anteriormente, ele é capaz de atrair água, ajudando a manter a pele sempre hidratada. Em cosméticos, pode promover um levíssimo preenchimento de rugas muito finas, justamente porque é como se elas inchassem, preenchidas de líquido. O ácido hialurônico de cremes e loções pode ainda ajudar na formação do colágeno.

Ácido kójico – Inicialmente extraído de um tipo de arroz, hoje ele também é obtido por meio de fungos. Sua grande ação é inibir a formação exagerada de melanina. Portanto, é um excelente ativo para combater sardas, manchas de idade ou da gravidez.

Ácido tranexâmico – Ele é mais um ativo potente para brecar a produção de melanina. Por isso, vem sendo utilizado em formulações para aliviar manchas e evitar que elas reapareçam no futuro.

Antiglicantes – A ingestão exagerada de carboidratos, especialmente os simples como o dos doces, está associada a diversos problemas de saúde, como infarto e diabetes. Mas pouca gente faz ideia de que esse hábito, ao aumentar a glicose sanguínea além da conta, também faz muito mal à pele, acelerando rugas e levando à perda de elasticidade e de tonicidade.

Tudo isso porque as moléculas de açúcar em circulação se ligam a proteínas da pele e, nesse processo, que chamamos de glicação, forma-se um material rígido, feito um caramelo, sobre as membranas. Desse modo, elas vão ficando cada vez mais enrijecidas, ficando difícil atuarem como o esperado.

A glicação também afeta diretamente o colágeno. Chega uma hora em que ele simplesmente se rompe. Daí que a indústria vem incorporando nos cosméticos substâncias que são conhecidas por nós como antiglicantes, que procuram barrar a glicação. E, como o efeito desse processo desencadeado pelos açúcares não acontece da noite para o dia – são necessários anos de estragos –, jovens a partir dos 25 anos já podem escolher produtos com antiglicantes na sua rotina de cuidados.

Eles não fazem milagre, claro: não adianta passar um creme que estampa conter antiglicantes no rótulo e se empanturrar de guloseimas açucaradas todos os dias. Aliás, se noto que um paciente está com a glicemia elevada, além de personalizar a indicação de produtos com antiglicantes, posso encaminhá-lo ao nutricionista e, conforme o caso, a um endocrinologista, se notar um pré-diabetes ou diabetes.

Fatores de crescimento natural – Eles são proteínas que atuam de maneira sinérgica quando a pele é ferida, por exemplo, ligando-se a receptores das membranas celulares e orquestrando o processo de reparação do tecido, que envolve a multiplicação de novas células e a formação de fibras de colágeno e elastina. Não é à toa que, de uns tempos para cá, os cientistas notaram que o uso tópico por meio de cosméticos de última geração melhora diversos aspectos da pele envelhecida pelo efeito da radiação solar no dia a dia.

Existem vários fatores de crescimento, cada um deles atuando de um modo muito específico. Entre aqueles que você já pode encontrar em cremes e loções, estão:

> ▶ **EGF, fator de crescimento epidermal**, ativa novas células, prevenindo ou reduzindo linhas de expressão e rugas não muito profundas.

- **IGF, fator de crescimento insulínico**, estimula a mitose, a divisão das células. Isso também melhora rugas, aumenta a produção de colágeno e de elastina e ajuda a tratar manchas avermelhadas.
- **bFGF, fator de crescimento fibroblástico básico**, previne linhas de expressão e melhora bastante a elasticidade do tecido.
- **aFGF, fator de crescimento fibroblástico ácido**, é um grande indutor da síntese de elástica e de colágeno.
- **TGF-B3, fator de crescimento de transformação beta 3**, é um potente comandante de crescimento celular.

Eu sei que todos esses nomes tão diferentes parecem uma sopa de letrinhas, mas queria que você conhecesse um pouco mais sobre o que há de mais moderno em cosméticos, com essas siglas muitas vezes escondidas nas letras miúdas da embalagem do produto. E não duvido nada – porque está tudo andando tão depressa! – que em breve a indústria não incorpore mais fatores de crescimento nos cosméticos, já que as pesquisas nesse campo avançam em uma velocidade impressionante.

Resveratrol – Também sou fã desse princípio ativo extraído das cascas e sementes de uvas-tintas, talvez um dos mais poderosos agentes antioxidantes e anti-idade em nosso arsenal. Alguns estudos indicam que ele pode, inclusive, contribuir para a prevenção do câncer de pele e ajudar na proteção contra os raios ultravioleta.

O uso de óleos

Eu recomendo! Os óleos faciais são para ser aplicados diretamente sobre a pele, logo após a limpeza. No caso, sugiro que você a prepare ainda mais borrifando a água termal. Basta uma gotinha na testa, nas duas bochechas, no queixo e logo abaixo da região dos olhos. Dê leve batidas e faça suaves movimentos, sempre de baixo para cima e de dentro para fora.

Já os óleos essenciais, se quiser usar um deles, como o de lavanda, são muito concentrados. Não devem ser usados puros e diretamente sobre a pele, pois podem irritá-la. O certo é pingar uma ou duas gotas no creme ou no sérum que você for usar à noite, por exemplo.

Voltando aos óleos faciais, existem alguns formulados e até enriquecidos com ativos extras. Mas, para simplificar, você pode usar óleos que são bem fáceis de achar e talvez mais acessíveis:

- ▶ **óleo de amêndoa doce**, que, além de amaciar a pele, é um bom nutritivo.
- ▶ **óleo de oliva** é excelente. O mesmo azeite extravirgem usado para cozinhar tem muitos antioxidantes que, no caso, são componentes polifenólicos. Pode ser incluído na rotina antienvelhecimento e para aliviar inflamações.
- ▶ **óleo de rosa-mosqueta**, que eu particularmente gosto muito. Tornou-se tão famoso entre os dermatologistas há tempos porque possui uma alta concentração de ácidos graxos que fazem parte das membranas das células da epiderme. Ajuda na hidratação, evitando que elas percam líquido, como todos os bons óleos faciais, mas também previne o envelhecimento precoce, contribui para a reparação do tecido, inclusive na cicatrização de machucados e de cortes cirúrgicos, melhora a nutrição e, finalmente, minimiza algumas manchas, como aquelas causadas pelo excesso de sol.
- ▶ **óleo de semente de uva**, que tem teores elevados de substâncias responsáveis pela regeneração do tecido cutâneo, como o ácido linoleico e a vitamina E.

PROTETORES EM PÍLULAS

Eles são outra tendência no arsenal anti-idade, quando sabemos que a radiação solar tem muito a ver com as rugas precoces, as manchas que aparecem ou que ficam ressaltadas com os anos, sem contar o câncer de pele, já que o risco dessa doença aumenta com o tempo. Não vou dizer que substituem o filtro solar, que precisa ser usado sem trégua todos os dias, porque os fotoprotetores por via oral apenas reforçam, digamos, a nossa blindagem aos raios nocivos do cotidiano.

Existem dois ativos nos produtos que já encontramos no mercado. Um deles vem do *Polypodium leucotomos*, planta originária da América Central com propriedades antioxidantes e anti-inflamatórias. Os cientistas descobriram que esse ativo é capaz de tratar de dentro para fora a irritação provocada pelo sol. Então, de cara, reduz a vermelhidão que surge quando exageramos no tempo de exposição ou quando descuidamos do filtro solar, ainda que por instantes, mas sob raios fortes e impiedosos.

O fato de brecar a irritação causada pela radiação diminui a probabilidade de ela intensificar manchas e sinais de envelhecimento que seriam sua consequência natural. Aliás, recomendo essa proteção extra a todas as pessoas que formam manchas com facilidade ou que apresentam maior tendência ao câncer de pele.

Outro ativo com função parecida e que anda bastante badalado é o picnogenol, presente no extrato de *Pinus pinaster,* um pinheiro encontrado na Europa. De acordo com estudos, ele não só reduz os efeitos do sol, como também diminui o envelhecimento provocado pela exposição constante à poluição.

Minha Dica

Lembre-se, antes de tudo, de que a sua pele gosta de disciplina e regularidade no autocuidado. É o que sempre digo: mesmo que, em determinado momento, você não tenha disponibilidade para investir em cremes mais caros, nunca largue de mão o autocuidado contra o envelhecimento precoce, dia após dia, noite após noite.

Use produtos acessíveis de marcas confiáveis e se, entre eles, encontrar algum dos ativos listados aqui, excelente. E, como já contei, até algumas poucas gotas de azeite de oliva podem ajudar. A constância tem um peso quase tão grande quanto o fato de os princípios ativos serem de ponta ou não. Não adianta ter o melhor dos cremes anti-idade se a pessoa não o usa com regularidade.

23
Os cuidados com as mãos

Uma coisa que você precisa ter em mente e que vale não apenas para as suas mãos é que, com o passar dos anos, a sua derme vai afinando e, quando isso acontece, as glândulas de lubrificação diminuem no mesmo ritmo, assim como as de sustentação. Nas mãos, em particular, essa transformação fica nítida.

As mãos gorduchinhas de um bebê que adoramos fotografar são o oposto das de um idoso. Neste, a redução da camada gordurosa, somada à menor espessura da derme, faz com que as veias apareçam, como se elas saltassem. E, se esse envelhecimento natural já não bastasse, ainda temos a ação do sol acelerando o surgimento de rugas e manchas.

É mais ou menos a partir dos 45 anos que as mãos dão o troco dos maus-tratos que eventualmente receberam até então. Se você reparar, a pele é bem espessa nas palmas, o que faz sentido, já que precisam segurar firme tudo, suportando atritos e o contato com substâncias e materiais diferentes praticamente o tempo todo. Mas o dorso das mãos é exatamente o contrário: a pele ali, ainda na juventude, já é finíssima e mais sensível do que a do rosto.

Apesar de ser tão mais delicada, assim como a do seu rosto, ela vive sendo agredida pelo sol, por diferenças de temperatura, pela poluição e, em tempos de pandemia, por lavagens constantes e o uso frequente de álcool em gel. As medidas de higiene, deixo claro, são realmente muito necessárias para nos proteger. No entanto, quase ninguém oferece à pele das mãos os mesmos cuidados dedicados à face, então sabonetes comuns e álcool em gel passados a toda hora fazem tudo piorar de vez.

Na pior das hipóteses, as mãos não só entregam a idade, mas também sua pele chega a envelhecer mais cedo do que a do resto do corpo. O dorso se tornará ressecado e sem elasticidade. E, se as mãos não ficaram protegidas do sol, as manchas vão aparecer, não tem jeito.

Durante o dia

Por mais que os cremes para as mãos possam ter componentes que são ótimos hidratantes, eles não resolverão completamente se a fórmula deixar de incluir um filtro com FPS acima de 30. E digo mais: esse creme com protetor solar deve, no mínimo, ser passado todas as manhãs e repassado algumas vezes ao dia.

Existem produtos específicos para essa região, à base de ureia e de manteigas vegetais, como a de karité, que aumentam a barreira de proteção natural cutânea. Alguns deles contêm ainda antioxidantes que potencializam as defesas contra os danos constantes. Mas reforço o conselho: se a formulação não tiver um bom filtro solar, você deverá passar um protetor em uma segunda camada, logo na sequência. Ou seja, primeiro o creme para as mãos e, por cima dele, um filtro.

À noite

Já na hora de dormir, sugiro que você espalhe um creme noturno em suas mãos – que pode ser até o mesmo usado no rosto. Embora, no caso das mãos, o ideal mesmo seria ele ter substâncias, como o ácido glicólico, capazes de combater o fotoenvelhecimento.

Uma vez por semana, complemente os cuidados diários fazendo uma esfoliação para remover as células mortas. Mas atenção: lembre-se de que a pele do dorso é delicadíssima. Então, não pode ser um esfoliante corporal. Ele precisa conter grânulos finos e menos agressivos como os dos esfoliantes faciais. Sim, isso mesmo, use o seu esfoliante facial nas mãos. Ou, para simplificar, misture açúcar com mel. Depois de esfoliar, se sentir que as mãos estão muito ressecadas, aproveite para espalhar sobre elas um creme bem untuoso ou um óleo e durma de luvas.

Ao higienizá-las

Para lavar as mãos, use um sabonete líquido com ingredientes umectantes. Essa sempre foi a minha recomendação e ela passou a valer mais do que nunca em tempos de coronavírus, quando as lavagens precisaram se tornar bastante frequentes. E essa frequência maior, bem como o álcool em gel usado a todo instante, pode ser nociva à pele.

Em relação ao álcool, procure por marcas que o associem a emolientes, como o glicerol, diminuindo a tendência à irritação. Caso contrário, podem surgir fissuras e rachaduras que, além de incômodas, acabam levando ao risco de contaminação por bactérias.

Por isso, ao sentir um mínimo de desconforto, aumente a quantidade de aplicações do hidratante ao longo do dia. Caso não possa passá-lo depois do álcool em gel por alguma particularidade de sua atividade profissional, converse com o seu dermatologista para que ele possa recomendar cremes noturnos específicos, capazes de manter a pele mais hidratada e, pelo menos, reverter parte dos danos enquanto você dorme.

Atenção ao encostá-las em produtos químicos

Sabonetes comuns, detergentes de pia e produtos de limpeza em geral costumam ter uma grande concentração de substâncias capazes de causar desde ressecamento até dermatites. Por isso, indico o uso de luvas durante os afazeres domésticos. Eu não as dispenso nessas horas.

O que fazer com as manchas

Existem pessoas que têm um rosto lisinho, mas que, quando fazem um gesto com as mãos, dá para ver que elas estão bem manchadas. No caso, as manchas mais comuns são as melanoses solares que, como o nome indica, têm a ver com o dia a dia sob o sol e não tanto com a idade. Tudo bem que elas se acumulam com o passar dos anos, daí receberem o apelido de "manchas senis". Mas é um engano, já que elas estão muito mais relacionadas à somatória das exposições descuidadas aos raios solares.

Quando não são muitas manchas, o seu dermatologista poderá indicar cremes com maior concentração de agentes despigmentantes, como uma substância chamada hidroquinona ou o ácido kójico, para você passar apenas sobre os pontos escuros.

No consultório, um dos métodos para resolver mãos muito manchadas é o do nitrogênio líquido. Imagine um gás extremamente gelado que o médico aplica sobre cada mancha para queimá-la. Arde, faz bolha, surge uma ferida, mas, depois que a casquinha cai, pode levar a mancha junto. O mais comum, porém, é o paciente precisar suportar três ou quatro sessões. E, para complementar o efeito desejado, o dermatologista poderá indicar peelings.

Menos dolorosos são os tratamentos a laser ou com luz pulsada. Existem diversas opções nesse sentido, e a escolha de uma ou de outra dependerá da avaliação do dermatologista. O que posso dizer é que, em geral, os feixes de radiação, focados diretamente nas manchas, vão quebrando as moléculas de pigmento sem provocar danos no restante da pele. Em uma única aplicação, cerca de 80% das manchas podem desaparecer e a queimadura evoluir mais depressa até o momento de a casquinha cair, exibindo uma pele nova e mais clara embaixo.

E o que fazer com as rugas e a flacidez

Assim como no rosto, os peelings – como aqueles à base de ácido retinoico, glicólico ou vitamina C concentrada – podem ajudar bastante a diminuir linhas finas e alguns sucos, não só porque removem a camada superficial da pele, mas também porque podem estimular o aparecimento de novas fibras de sustentação.

E, por causa delas, outro efeito dos peelings é diminuir a flacidez. Só que, nesse caso, nos últimos anos passamos a contar com preenchimentos feitos sob anestesia local com ácido hialurônico ou com bioestimuladores, como uma substância chamada hidroxiapatita de cálcio, que incentivam a produção do colágeno. O segredo, na minha opinião, é aplicar pouco, para ter um resultado bem bonito e natural.

Um esclarecimento apenas: apesar da aparência melhorar muito após esses preenchimentos, não há nada para tornar aquelas veias das mãos menos salientes. O fato é que elas aumentam de calibre com os anos. Quando você preenche um pouco e cuida da pele para que ela fique mais hidratada e elástica, claro que isso tudo ajuda a disfarçar um pouco também.

Sobre as unhas

O que falei sobre o envelhecimento da pele vale para elas: sim, as suas unhas mudam com a idade. Tendem naturalmente a ficar finas – elas também! – , esbranquiçadas, onduladas, estriadas e quebradiças. As cutículas se tornam igualmente menos grossas, só que muito secas.

Se noto esses sinais em quem ainda é relativamente jovem, logo peço exames para afastar a hipótese de problemas de tireoide, doenças autoimunes e diabetes, entre outros males – que, sim, apressam o envelhecimento das unhas. E existem situações em que já fico de olho nas unhas de antemão. Por exemplo, não estranho se encontro distrofias ou deformidades nas unhas de quem sofre de psoríase ou usa determinados medicamentos, inclusive quimioterápicos. Esses efeitos indesejáveis nas unhas podem ser tratados e, felizmente, nesse campo há muita coisa nova.

No dia a dia, acho importante que você faça um autoexame das unhas de vez em quando. Pergunte-se: minhas unhas estão mais fracas? Alguma delas está se descolando?

Os descolamentos são comuns em casos de micose, por exemplo. Normalmente acontece da ponta para dentro, pelos cantos. Se for isso, você notará algo como se a sua unha estivesse pousada sobre um tapete fofo ou até perceberá uma espécie de farinha por baixo dela. É que os fungos por trás das micoses de unha vão comendo a queratina da pele e isso são suas sobras.

A psoríase também provoca descolamentos, mas aí sem essa sensação de algo fofo sob as unhas. No lugar disso, você vê inúmeros pontos, como se fossem marquinhas de alfinete.

No caso das micoses, nem arrisque se automedicar. A visita ao dermatologista é imprescindível. Ele precisa examinar qual fungo é o responsável para prescrever até mesmo uma medicação por via oral. E você vai precisar de paciência, uma vez que os fungos, especialmente aqueles que atacam as unhas, costumam ser resistentes.

Tudo bem que até isso já melhorou, porque agora nós conseguimos encurtar o tempo do tratamento das micoses nas unhas com o auxílio do laser. Pode ser usado o de CO_2, por exemplo, para fazer inúmeras microperfurações na unha doente. Daí, a ideia é jogar o remédio antifúngico e ocluir, favorecendo sua ação. Também existem lasers que podem ser usados para fortalecer as unhas e diminuir o embranquecimento delas.

Cutículas, tirar ou não tirar?

Quando me perguntam isso, respondo: depende da sua profissão. E uso o meu próprio caso como exemplo. Bem antes de qualquer pandemia, para examinar minhas pacientes com segurança, sempre tive de lavar as mãos umas trinta vezes durante o expediente no consultório e passar álcool em gel. Sem contar o contato com o látex e o pó das luvas médicas.

Para contrabalançar, sempre hidratei, passei óleo, fiz tudo o que recomendo para os meus pacientes, mas nunca adiantou. A minha rotina de trabalho deixa as cutículas grossas e duras. E, quando alguém tem um monte de cutícula, fica feio e a saída é mesmo tirar, usando os seus próprios apetrechos bem limpinhos. Agora, se vejo alguém com pouca cutícula e, ainda por cima, se ela é fina, minha orientação é não fazer isso. Afinal, as cutículas são uma barreira de proteção. Se for possível mantê-las, melhor.

Também não invente de traumatizar, empurrando demais as cutículas ou cutucando as unhas para desencravá-las em casa até machucar, o que só propicia infecções fúngicas e bacterianas. Tente sempre manter suas unhas com a maior integridade possível. Voltamos ao que falo sem me cansar: faça o básico para mantê-las com ares de bem tratadas, mas sem forçar nada.

Para você ver que a palavra-chave deste livro – equilíbrio – vale até na hora da manicure. Por exemplo, alguém pode me dizer por qual razão uma criança vai tirar a cutícula?! E o mesmo vale para uma pessoa muito idosa, que já tem a cutícula bem fininha e a unha, frágil. Basta empurrar levemente, hidratar bastante e, se quiser, passar um esmalte. Acabou.

A questão dos esmaltes

É muito comum a própria manicure avisar, de tempos em tempos, que você deveria ficar um período sem esmalte para a unha respirar. Se quer mesmo saber, o conselho está certo. Deixar a unha respirar é mesmo bom. Mas não é necessário passar dias ou uma semana sem esmaltar, como a gente escuta por aí. O importante é você hidratar bem suas unhas, assim como a cutícula. Então, vamos imaginar que você faça a manicure toda as sexta-feiras. Se é assim, tire o esmalte na quinta à noite e já basta, passando um óleo como o de calêndula ou de cravo antes de dormir. Se não encontrar nenhum deles, vale qualquer outro óleo.

O problema maior, a meu ver, está na onda das unhas de gel. Para início de conversa, você precisa checar se a profissional faz direito esse tipo de serviço. Porque o perigo é ela deixar um espaço, ainda que mínimo, entre a unha real e a de gel. Nesse espaço vão acabar entrando sabão, água, resto de comida, um pouco de tudo. Daí que, na certa, os fungos irão se proliferar. E, mesmo que isso não aconteça, vivo escutando das pacientes que, depois de se tornarem adeptas do gel, viram as próprias unhas enfraquecerem demais. E é lógico que isso vai acontecer. É o que digo: todos os excessos cobram uma penalidade.

Unha em gel deveria ser uma exceção, para viajar, por exemplo, e não uma rotina, na minha opinião.

E OS CUIDADOS COM OS PÉS?

A queixa que escuto com maior frequência é a das rachaduras nos calcanhares ressecados. Sim, eles também ficam mais finos e secos, como a pele de outras regiões. E noto que o problema é mais grave nas mulheres que optam por não fazer reposição hormonal, assim como naquelas que vivem sobre o salto alto.

O dermatologista também deve se perguntar se a pessoa não tem problemas ortopédicos, como uma pisada errada. Isso porque, quando a pisada força demais uma parte da sola, por exemplo, surgem os calos. Eles também aparecem em função de sapatos mais apertados. Por isso, minha primeira orientação é para a pessoa descobrir qual sapato está originando o problema. É aquela velha pergunta que ela deve se fazer ao se calçar: onde está pegando? E, descoberto o par de calçados culpado, se não quiser se desfazer dele, o jeito será comprar em lojas especializadas de produtos ortopédicos protetores que lembram pequenos curativos acolchoados.

Em nenhuma hipótese tente lixar ou arrancar um calo. Isso cria um vício e o trauma só torna a região mais vulnerável. O calo, então, com certeza voltará, mais grosso e doloroso. O certo é eliminar a causa e passar muito, mas muito mesmo, hidratante no local. A gente também deve, nesse sentido, ficar atenta às mudanças dos pés com o tempo. Ele se alarga – por exemplo, quando a mulher engravida, mesmo que ela não ganhe muito peso. Eu mesma aumentei um número de sapato e isso não costuma ter volta, porque a alteração é óssea. Daí, insistir nos sapatos antigos, que antes serviam bem e agora pegam no dedinho, seria um erro.

Finalmente, todos devem manter as unhas dos pés bem aparadas e limpas. Isso é o básico. E ele é ainda mais importante para quem tem diabetes, hipertensão ou alterações vasculares, problemas que aumentam a suscetibilidade a micoses nas unhas e entre os dedos.

Minha Dica Vou contar o que eu mesma faço: *antes de dormir, passe uma gota de óleo no dorso das mãos*, esfregue ligeiramente mais um pouco do produto nas cutículas e nunca deixe de pingar uma gotinha em cada calcanhar. Qualquer óleo. Pode ser até mesmo o de bebê. E, se o calcanhar estiver muito seco, você também pode espalhar um pouco da velha e boa vaselina sobre ele.

24

Cabelos saudáveis

Uns preferem os longos, e outros, os mais curtos. Tem quem goste dos lisos, quem adore os cacheados e quem ame os crespos. E eu garanto que todos são bonitos desde que sejam saudáveis, o que também quer dizer o seguinte: desde que não apresentem um envelhecimento exagerado e precoce.

Mas evitar que os fios envelheçam demais pode ser a parte mais difícil de todas, embora hoje exista uma gama de produtos, como xampus, máscaras, óleos e cremes *leave-in* formulados com ingredientes como fatores de crescimento e ácido hialurônico para desacelerar esse processo, que é capaz de deixá-los finos, ressecados, opacos e quebradiços.

Assim como na pele, o envelhecimento dos cerca de 100 mil fios que temos na cabeça acontece por fatores internos ou externos. Entre os primeiros, o que conta bastante, claro, é a própria idade. Ninguém pode esperar que os cabelos aos 50 sejam os mesmos dos 25 anos. Mas, entre os fatores internos, devem ser consideradas e investigadas as questões hormonais – com exames para afastar ou confirmar de vez essas hipóteses –, como a síndrome dos ovários policísticos e os distúrbios de tireoide, que estão entre os problemas que mais afetam os cabelos.

Deixo aqui então um primeiro recado: se você sabe de antemão que tem um desses problemas ou se faz qualquer tratamento envolvendo hormônios, fique de olho com o que acontece com os fios, porque é possível observar desde mudanças em sua textura até queda. E, se for o caso, não espere isso avançar para buscar um dermatologista ou, quando possível, um tricologista, que dentro da dermatologia é o especialista dedicado à saúde capilar. Outras doenças que costumam interferir nos cabelos e que o médico poderá cogitar são as autoimunes. E também não devemos nos esquecer dos cânceres.

Por sua vez, entre os fatores externos capazes de acelerar o envelhecimento capilar estão a poluição, o vento, o sol e, como se tudo isso fosse pouco, ainda temos os tratamentos químicos. E aí não me refiro apenas às tinturas constantes, mas à própria decapagem que retira os pigmentos dos fios para prepará-los para receber uma nova cor, aos alisamentos, às escovas progressivas. Essa lista se completa com agressões físicas, como a do calor das escovas, do babyliss e das chapinhas. À temperatura alta ainda se somam os movimentos de estica e puxa.

Pense que o efeito de tudo isso junto é cumulativo. Bons produtos para os cabelos conseguem apenas minimizar os eventuais estragos. Se uma pessoa está com os fios na altura dos ombros, você pode apostar que as pontas já têm entre 5 e 6 anos de vida. Ou seja, estão há mais de meia década enfrentando agressões. Por isso posso assegurar: as pontas são sempre muito diferentes das raízes, não importando o tipo de cabelo. Simplesmente porque já sofreram muito mais.

Por dentro dos fios

Os cabelos são constituídos por células de queratina como as da epiderme, além de água e óleo. Só que, no caso desse último, diria que são menos lubrificados do que os pelos do corpo. Cada fio nasce de uma estrutura chamada folículo piloso, situada na derme, a segunda camada da pele do couro cabeludo. Ali também ficam os melanócitos, produzindo os pigmentos que irão dar o tom natural aos fios.

Se você pudesse olhar por meio de um microscópio para um único fio cortado de maneira transversal, enxergaria esses pigmentos concentrados bem no miolinho, área central, que nós conhecemos por medula capilar. A camada seguinte, olhando de dentro para fora, é a do córtex. Ele representa 95% de um fio, sendo todo preenchido por queratina. E é o grande responsável por sua elasticidade e maleabilidade. Logo, o problema dos cabelos quebradiços costuma estar aí, nessa camada. Finalmente, por fora, está a cutícula, que é inteirinha formada por escamas sobrepostas.

Se essas escamas estão fechadas e alinhadas, elas agem como um verniz de proteção. Evitam a saída de água e de nutrientes das camadas internas. E ainda, por uma questão de física, refletem melhor a luz que incide sobre a cabeça, criando o efeito ótico de brilho. Mas aí é que está: as agressões externas que mencionei deixam boa parte das escamas entreaberta ou até aberta de vez. A primeira coisa que você nota, então, é um cabelo opaco, que não reflete a luz direito.

Para completar, a água que ficaria guardada dentro dos fios escapa, evapora por essas escamas mal fechadas e eles se tornam ressecados. Os nutrientes, idem – fogem também. Então, desnutridos, os cabelos vão perdendo vitalidade. No final, desprotegidos do meio externo, sem hidratação nem nutrição adequadas, os pigmentos se desgastam, deixando os fios com ares desbotados. A mesma coisa acontece com a queratina, mandando a maleabilidade embora. Eles, consequentemente, se quebram à toa. É a sequência clássica dos danos.

Como cuidar

Os cabelos até que enfrentam relativamente bem os agressores externos quando se encontram em condições ideais. E, para isso, a primeira coisa que você deve fazer é se perguntar: como são os meus cabelos? Eles têm muita química? Não pense que a resposta certa é tão fácil. Você pode errar se não observar direito.

Por exemplo, muita gente que diz ter os cabelos ressecados e danificados não repara, mas a raiz dos fios pode ser bem mais oleosa. Aliás, a maioria das pessoas têm a raiz oleosas e as pontas secas. E, como essas últimas saltam aos olhos, muita gente nessa condição acaba apelando, na melhor das intenções, para produtos pesados, com muita queratina e ingredientes hidratantes na composição. Com isso, o estado da raiz piora de vez. E isso também faz com que os fios caiam mais.

Em termos de saúde, ter cabelos sempre limpos, sem tanto óleo nas raízes, é muito melhor. Não, eu não estou me referindo a quem fica dias e dias sem lavar os cabelos, deixando-os nitidamente ensebados. Estou falando do que a maioria das pessoas faz. Ora, a maioria não lava a cabeça diariamente e, saiba, isso seria o ideal. Se não dá, então não espere mais do que dois dias.

Quando falo isso no consultório, quase sempre escuto a pergunta em um tom espantado: mas lavar a cabeça sempre não estragaria os cabelos?! Respondo: claro que não, se você usa xampus adequados, apropriados para uso diário, com pouca detergência. Até porque quem lava todo dia não precisa de um produto que seja muito detergente.

No entanto, mesmo quando explico isso, os pacientes ficam em dúvida, e muitos deles disparam: "Mas eu tenho cabelos secos!". Ao que respondo que não há problema, desde que a raiz seja mais oleosa do que o comprimento dos fios – o que, repito, é o mais frequente – ou que esteja suja mesmo.

Em resumo, o meu conselho é que você use um xampu mais neutro todos os dias e deixe para usar um de tratamento – aquele para fios ressecados ou nutritivo – uma ou duas vezes por semana. Agora, quem deixa para lavar uma vez ou duas por semana apenas, contrariando essa recomendação, claro que vai precisar de um xampu mais forte na limpeza para tirar todo o resíduo acumulado ao longo de dias.

E isso me faz lembrar de outra dúvida frequente: se vale ou não a pena investir em xampus de limpeza profunda, que alguns chamam de xampus detox. Eu acho que sim, mas aí para usar uma vez por mês, ou no máximo duas. A razão é fácil de entender: hoje encontramos no mercado loções de tratamento sem enxágue, cremes e géis para pentear, fluidos termoativados para proteger os fios do calor dos secadores, silicones para disfarçar pontas duplas, óleos de tratamento. Bem indicado, esse arsenal é ótimo de verdade. Por "bem indicado" entenda: produtos adequados para o tipo de cabelo e sempre passados do meio do comprimento até as pontas, guardando uma boa distância da raiz. Só o xampu deve ser passado no couro cabeludo. O condicionador e outros produtos usados como tratamento, não.

Eles criam uma película sobre cada fio quando usados dia após dia. Se, em um primeiro momento, ela funciona como uma capa contra danos, depois acaba impedindo que qualquer tratamento penetre nos cabelos. Por isso que, sim, uma ou duas vezes por mês vale fazer uma limpeza mais profunda.

Já a hidratação pode ser repetida uma vez por semana. Hoje, nas prateleiras, você encontra máscaras profissionais. Ou também pode lançar mão de óleos, como o de coco, que deve ser passado – não custa repetir – só da metade do comprimento até as pontas. Uma das principais funções do óleo capilar é formar um filme que não deixará a água no interior dos fios escapar. Aliás, para quem está com as pontas bastante ressecadas, mas precisa retirar o excesso de sebo do couro cabeludo, uma boa dica é passar esse óleo bem nas extremidades dos fios imediatamente antes da lavagem.

Quanto à hidratação, especialmente se for com algum óleo, tente fazê-la em um dia em que tenha mais tempo para se cuidar, a fim de deixar que ela atue por volta de quatro ou cinco horas nos cabelos. No salão, frequentemente os profissionais usam outros recursos que, por meio do calor, aceleram a penetração do produto, mas em casa é diferente. Então, dê um prazo maior para obter o mesmo efeito.

Se a ideia é mudar de cor, nunca deixe de fazer esse tratamento com óleo ou com um hidratante mais untuoso nas três semanas anteriores – é a minha recomendação. Em geral, noto que as pessoas se preocupam em hidratar depois, mas a preparação dos fios é até mais importante.

Tudo bem que, atualmente, as tinturas são bem menos agressivas do que no passado. Muitas delas usam pigmentos naturais, inclusive. Mas o problema é a decapagem ou a oxigenação, na primeira etapa do processo. Isso escancara as escamas, às vezes de maneira tão intensa que elas se quebram.

Outro detalhe importante é o jeito como você enxuga os cabelos após a lavagem. Evite a todo custo esfregar a toalha com força, friccionando bastante, na tentativa de se livrar do excesso de água. Procure tirar a umidade com suavidade e, daí, passe os produtos de tratamento, como um óleo no comprimento e, no caso dos crespos e ondulados, silicones para acentuar e valorizar os cachos.

Os silicones para pontas duplas podem ser passados quando os fios já estiverem quase secos. Mas eu aviso: eles não tratam esse problema. O que acontece é que, quando a gente não corta as pontinhas de tempos em tempos na ânsia de ver os cabelos crescerem mais rápido, elas acabam se partindo. Esses reparadores só disfarçam a situação, como se colassem temporariamente as partes separadas. Melhor do que apelar para um disfarce é você evitar o problema. Como? Sem ficar meses sem aparar as pontas e passando um óleo capilar nas extremidades dos fios pelas manhãs, ao acordar.

O problema da caspa

Ela atormenta muita gente, homens e mulheres, especialmente quando o clima esfria. Com a temperatura baixa, as glândulas sebáceas da pele diminuem sua produção e o couro cabeludo não é uma exceção. Só que, se ele fica muito ressecado, logo descama, deixando nos ombros uma espécie de poeira branca. O que piora de vez o problema são os banhos muito quentes, que devem ser evitados.

No entanto, a caspa pode ser ainda o principal sinal da dermatite seborreica, causada pelo fungo *Pityrosporum ovale*, que, cá entre nós, existe no couro cabeludo de todo mundo, integrando a sua microbiota. Acontece que uma série de fatores o leva a sair de um equilíbrio, crescendo bem além da conta. Há quem diga que até mesmo a menor incidência de raios ultravioleta nos meses de inverno seria capaz de fazer isso, o que ninguém sabe ao certo.

No caso da dermatite seborreica, entretanto, a caspa é consequência indireta da oleosidade, e não de um couro cabeludo muito seco. Os fungos se alimentam dessa gordura, que pode aumentar até por uma espécie de efeito rebote dos banhos muito quentes, os mesmos que, em um primeiro momento, provocaram um ressecamento.

Quando os fungos se alimentam do sebo do couro cabeludo, produzem substâncias que, no final das contas, irritam toda a região. Daí a pele no local se desprende em flocos. Aliás, a dermatite seborreica pode afetar também as sobrancelhas, a barba, a pele atrás da orelha e a da nuca.

O ideal é conversar com o dermatologista para que ele, antes de tudo, confirme o tipo de caspa e indique os melhores xampus e loções de tratamento. Se achar que é o caso, o médico poderá pedir exames para saber se existem problemas capazes de agravar essa condição, como – de novo! – certas alterações hormonais.

O fato é que os xampus anticaspa em geral precisam ser alternados. Você deve criar uma espécie de rodízio desses produtos dentro de uma estratégia para controlá-la. Isso porque costumam atuar de modos diferentes para manter os fungos sob rédeas curtas, por assim dizer. E, com meses de uso constante, é quase como se esses microrganismos criassem uma espécie de resistência.

Uma dica é aproveitar a hora de lavar a cabeça e passar o mesmo xampu anticaspa indicado pelo seu dermatologista nas sobrancelhas e na barba, no caso dos homens. Outro bom conselho é nunca dormir com os cabelos molhados. Seque bem a raiz antes ir para a cama, se você sofre de dermatite seborreica, porque a umidade facilita o crescimento dos fungos.

Paciência extrema nos períodos de transição
Quem já fez alisamentos e escovas progressivas sabe: não adianta querer voltar ao que era antes da noite para o dia. Eu mesma confesso que já deixei meus cabelos lisos

e, depois, mudei de ideia. Até porque o formol usado nesses tratamentos faz, de fato, muito mal. No entanto, ao parar, tive de esperar longos cinco anos para ver os meus cachos voltarem. Meus fios ficaram tão finos que, todos os fins de semana, eu precisava espalhar uma máscara hidratante neles pelas manhãs e só a tirava à tarde.

É preciso muita disciplina e uma alta dose de calma, porque em determinado momento os fios não estarão nem uma coisa, nem outra. É nessas horas que a tentação de voltar dez casas no tabuleiro aparece. Quem sabe, você pode até ouvir que existiria um tratamento para alisar sem formol, à base de queratina, e daí desistir de aguentar a transição capilar. Na maior inocência, vai acreditar nessa saída que parece mais segura, desconhecendo um detalhe fundamental nessa história: a queratina, a partir dos 45 graus Celsius, formaldeída, isto é, vira formol do mesmo jeito. E esse calor é facilmente superado pela chapinha usada depois que passam o produto nas mechas. Esqueça.

Qual a grande lição para todos nós? Os cabelos têm uma programação genética para serem lisos, ondulados ou crespos. Você pode fazer muita coisa para melhorar a qualidade deles, deixando o seu tipo com a melhor aparência possível. Mas não pode fazer nada para alterar essa programação genética. Quero dizer, não pode fazer nada que, no fim, não acabe agredindo bastante os fios. Como diz o ditado, não existe café de graça.

Em caso de queda

O ciclo de vida dos cabelos se divide em três fases. Na anágena, que dura de três a cinco anos, os fios crescem sem parar. Então, estacionam e ficam em repouso por umas três semanas. A terceira e última fase é a telógena, que pode se prolongar por três meses e que culmina na queda. Mais ou menos 15% dos fios em sua cabeça se encontram nessa fase final. E todos os dias, sem que você se dê conta, uns cem deles despencam.

As pessoas, na verdade, só percebem que algo está errado quando encontram a escova de pentear lotada de cabelos. Ou quando eles se espalham no chão do chuveiro. Aí o dermatologista realmente precisa investigar o que está acontecendo. Para isso, pode examinar o couro cabeludo com a ajuda de um equipamento chamado tricoscópio. Ele tem uma lente que permite ao especialista avaliar o diâmetro dos fios, para checar se não estão finos e frágeis demais, e também medir a distância entre eles, notando se começam a ficar rarefeitos. O olhar clínico também é essencial para diferenciar um couro cabeludo saudável de um que está inflamado, uma vez que inflamações também aumentam a probabilidade de queda.

Essa avaliação feita em consultório deve ser complementada por exames laboratoriais para a gente saber se não haveria uma disfunção tireoidiana, uma doença autoimune ou, ainda, carências nutricionais. Tudo isso é capaz de deixar os cabelos ralos. Aliás, aproveito para explicar que, quando me perguntam quais vitaminas e sais minerais fortificariam os cabelos, sempre respondo que são aqueles que estão faltando no organismo. Não adianta sair engolindo aquele suplemento que, segundo a sua amiga ou o seu amigo, deu a maior força aos fios dela ou dele.

Não que os nutrientes não tenham nada a ver com a saúde capilar, muito pelo contrário. Sabemos que dietas muito restritivas, tão em voga, provocam queda de cabelos. Os fios, afinal, precisam de proteínas, vitaminas, minerais, gorduras e carboidratos no prato – sim, eles precisam de tudo isso!

Uma vez descoberta a causa da queda, podemos fazer muita coisa no consultório, já que os tratamentos capilares avançaram como nunca. É consenso, porém, na dermatologia que o tratamento feito em casa é o mais importante para dar resultados, com o uso de loções específicas, suplementos, quando indicados, medicações orais em alguns casos e, às vezes, quando viável, até com aparelhos de LED próprios para uso doméstico. Esses aparelhos emitem feixes de luz capazes de incentivar o crescimento dos fios.

O eflúvio telógeno

A gente ainda não entende direito os mecanismos, mas nesse problema o fio para de crescer naquela fase anágena, a primeira de todas. De uma hora para outra, vai sem escalas para a fase telógena, que é aquela da queda. Algumas mulheres, por exemplo, comentam com o dermatologista que o alarme soou quando notaram que o rabo de cabelo ficou bem mais fino.

Quando investigamos o motivo, sempre encontramos algum evento dois ou três meses antes de os cabelos começarem a cair. Ele pode ser um parto, uma infecção mais séria, uma perda abrupta de peso como a causada por uma cirurgia bariátrica, entre outros. O problema é bastante observado em quem teve covid-19, provavelmente por causa do estresse físico e até mesmo emocional provocado pelo coronavírus.

Não é preciso entrar em desespero. O tratamento do eflúvio telógeno dá ótimos resultados, exigindo apenas uma boa dose de paciência. Isso porque o crescimento dos novos fios é invariavelmente lento. Eles avançam 1 centímetro por mês, quando muito. Podemos prescrever loções capilares com esse objetivo, além de suplementos, fármacos como o minoxidil aplicados no couro cabeludo ou usados na forma oral – e, bom avisar, eles precisam de um rigoroso acompanhamento médico – e lasers.

A alopecia androgenética

Também conhecida simplesmente como calvície, ela atinge até metade dos homens e 25% das mulheres. Neles, no início, costumamos ver entradas e uma área careca bem no cocuruto da cabeça. Nelas, a perda de cabelos é mais da região frontal e raramente a cabeça fica completamente desnuda de fios. No entanto, eles se tornam bastante difusos.

A origem é hereditária e também tem a ver com um derivado do hormônio masculino testosterona, que aos poucos vai destruindo os folículos pilosos. E, na realidade, embora o problema só fique evidente alguns anos depois, o ponto de partida costuma ser na adolescência, quando os cabelos se tornam muito mais finos, durante a transição hormonal para a fase adulta.

Não existe cura para a calvície. O que existem são loções para retardar seu aparecimento, que incentivam o crescimento dos fios e reduzem o processo que os torna muito finos. Também podemos, no consultório, aplicar lasers que não só estimulam o crescimento, como também favorecem a penetração de remédios. Outra técnica é a do microagulhamento, em que uma espécie de rolinho faz inúmeros furos minúsculos no couro cabeludo para o remédio penetrar com maior eficiência.

> **Minha Dica**
>
> *O sol que danifica a pele também prejudica os fios.* Por isso, dias de passeio a céu aberto no verão e, em especial, idas à praia ou à piscina pedem uma loção capilar com filtro solar. Ela é obrigatória nas pontas, claro, por serem a parte mais castigada dos fios. Mas seu uso não é menos importante nas proximidades do couro cabeludo. Acho que pouca gente faz ideia do quanto, infelizmente,

é comum o dermatologista encontrar um câncer de pele nessa região.

O perigo de tumores malignos no couro cabeludo é maior em quem tem calvície, lógico, mas também em quem tem cabelos finos e ralos. Afinal, uma cabeleira cheia sempre oferece uma proteção a mais aos raios solares. Por falar neles, nos horários em que a radiação está mais forte – entre 10 e 16 horas –, não adianta só usar uma loção capilar com um bom FPS. Aí o certo é usar um chapéu ou um boné também.

Depois de dar um mergulho, lembre-se de que o filtro solar vai embora e você deve reaplicar a loção. Nessas horas, o ideal é sempre tirar o sal do mar ou o cloro da piscina antes, lavando os fios com água doce. Então, coloque um óleo da metade do comprimento para as pontas para evitar o ressecamento e o protetor por todo o cabelo.

A proteção solar é fundamental, vale ressaltar, para quem tem cabelos brancos. Sem pigmentos naturais, eles acabam amarelos quando são queimados pelo sol. Aliás, qualquer coisa é capaz de amarelá-los, até a fumaça do cigarro.

Uma outra dica é sobre elásticos e outros acessórios para manter os cabelos presos. Por mais bem tratados que sejam os fios, os elásticos devem ser revestidos e as piranhas ou as fivelas não podem tracioná-los demais. Caso contrário, vão terminar arrebentados.

Por fim, varie o xampu. Aquela história de que os cabelos viciam têm um fundo de verdade. Não se trata, porém, de um vício. O que acontece é que, passado um tempo, os cabelos podem ter reposto os estoques de um ingrediente que determinado xampu oferece, como uma vitamina, por exemplo. Daí, oferecê-la repetidamente já não faz tanta diferença. Alterne as formulações, de preferência sempre buscando a orientação do seu dermatologista.

25

Pelos, fora!

O que imaginamos é que, na evolução da nossa espécie, os pelos continuaram no corpo para protegê-lo de atritos e até mesmo dos raios solares. São milhares deles – só nas pernas femininas nascem mais de 10 mil! –, formados por três partes. O bulbo piloso é a primeira delas, instalado na base do microscópico fólico de onde surge o fio. Ele tem vasos sanguíneos e nervos. Aí, na sequência, vem a raiz. E, por último, a haste, que literalmente sai da pele e fica visível.

Por questões de estética ou até mesmo de higiene, as pessoas costumam removê-los de certas regiões. A questão é que não se pode arrancá-los de qualquer jeito, podendo causar problemas que podem ir de fios encravados a infecções. Por isso, a seguir, apresento as vantagens e as desvantagens dos principais métodos de depilação e, principalmente, aponto os cuidados que você deve ter.

Raspar com lâmina

Diferentemente do que dizem, esse método não engrossa os pelos. É prático, rápido e indolor, até porque só corta a haste rente à pele. E a raiz, que está próxima das terminações nervosas do bulbo, permanece intacta.

O problema é que, justamente pelo fato de a raiz ser mantida, os pelos crescem novamente sem a menor perda de tempo. Bastam dois dias no máximo para você ver pontinhos pretos por toda a área que foi raspada, anunciando novas hastes prestes a despontar.

Um cuidado que você deve ter é lavar bem a lâmina com bastante sabão ou até passar álcool antes de começar a usá-la. Isso evita contaminações. Outro cuidado é espalhar sobre a área a ser raspada muita espuma, seja aquela específica para o uso de lâminas, como a de um creme de barbear, seja a de um sabonete cremoso e umectante.

A função da espuma é ajudar a lâmina a deslizar, evitando cortes e arranhões. Nunca a deslize no sentido contrário ao da direção do pelo – um erro comum – e também zele por um detalhe, que é ir esticando a pele à medida que passa o aparelhinho, porque isso também ajuda a afastar a probabilidade de um pelo encravar depois.

Usar cera quente

O calor dilata os poros, facilitando a extração, inclusive, dos pelos mais grossos e arrancando-os pela raiz. Por isso, como ela precisa ser reconstituída no interior do folículo piloso e isso leva um tempo, o resultado costuma durar de três a quatro semanas.

Quem tem varizes, porém, deveria consultar o dermatologista antes de usar esse método para depilar as pernas. Em quaisquer circunstâncias, a cera nunca pode estar quente demais, sobretudo na hora de usá-la onde a pele é mais fina e sensível, como no rosto e na parte interna das coxas.

O cuidado é espalhar a cera quente no sentido do nascimento dos fios e, em seguida, retirá-la em um gesto bem rápido na direção oposta. Quem hesita e dá várias puxadinhas de cada vez, com medo de machucar, acaba dando um tiro pela culatra, porque isso só faz repuxar mais a pele, castigando-a.

O que é obrigatório, sem ter o que discutir: a cera jamais deve ser reutilizada. Fuja de locais onde isso é praticado. Caso contrário, o risco de infecções acaba sendo enorme. Também oriento que a pessoa prefira ceras feitas com ingredientes naturais como o mel, que são sempre menos agressivas.

Usar cera fria

A praticidade, aqui, é o que conta: esse tipo de cera em geral vem pronta para ser usada em folhas descartáveis. O resultado, se a pessoa souber puxar direito, também é duradouro, como o da cera quente. Mas existe o risco de, em gesto afoito, o pelo se quebrar pela haste em vez de vir inteiro desde a sua raiz. Daí não só cresce mais rápido, como também pode encravar.

A falta do calor para abrir bem os poros faz com que fique mais difícil arrancar pelos grossos, feito os da virilha. Daí que a cera fria funciona melhor para aqueles que são mais finos, como os das pernas. E, sem o calor para dilatar os poros, a resistência dos fios para sair aumenta – e com ela, sinto dizer, a dor.

Passar cremes depilatórios

Os componentes do produto dissolvem o pelo, mas, como não são absorvidos pela pele, isso só acontece com a haste. Por isso, passando longe das terminações nervosas do bulbo, esse método não dói. Em compensação, também não dura muito mais do que a lâmina.

O cheiro forte do produto, por mais que a indústria tente disfarçar com outros aromas, incomoda muita gente. E, sim, sempre há o perigo de alergias – aliás, é uma pena que muitas pessoas não levem à risca a sugestão, na embalagem, de fazer um teste antes, passando uma pequena amostra no antebraço para observar se não há nenhuma reação indesejável da pele. Por sinal, saiba que os cremes depilatórios não devem ser usados na região da virilha, próxima de mucosas.

Usar aparelhos elétricos

Os mais modernos têm pinças rotatórias, por exemplo, que de fato podem arrancar os pelos pela raiz. Daí que eles só voltam a crescer depois de uns 20 dias, muitas vezes. No entanto, é um método bastante doloroso e, se mal manuseados, alguns aparelhos podem machucar, deixando marcas.

Apelar para os métodos definitivos

Os lasers e a luz pulsada, indicados pelo dermatologista conforme as características dos pelos – como sua cor e espessura –, podem fazê-los desaparecer de vez. Para explicar esses métodos de uma forma genérica, os feixes luminosos são absorvidos pelo pigmento melanina no folículo e ao longo dos fios. Então, essa energia se transforma em calor e vai destruindo os pelos aos poucos. Eles vão ficando mais fracos a cada sessão até sumirem. Costumam ser prescritas de seis a oito aplicações na maioria dos casos e elas devem ser feitas com intervalos de um mês.

É um tratamento que não pode ser feito em qualquer lugar. Para aplicá-lo, o profissional precisa ter muita experiência. Para começo de conversa, apesar de os feixes serem atraídos pela melanina dos pelos, eles podem atingir o pigmento da pele, causando queimaduras e manchas. Uma indicação malfeita pode fazer um estrago danado. Aliás, por cautela, o uso de protetor solar com fator de proteção acima de 30 na área tratada é obrigatório.

E A BARBA?

Eu sempre falo aos homens que o melhor lugar para eles se barbearem é debaixo do chuveiro. Isso porque a água quente derramada no rosto por algum tempo ajuda bastante, dilatando os poros. O ideal seria, antes de passar a lâmina, lavar toda a região com um sabonete bactericida, enxaguando-a bem.

Só depois, então, seria a vez de passar a espuma de barbear e deslizar a lâmina sempre no sentido do crescimento dos fios. Terminada essa parte, jogue água fria por todo o rosto para fechar os poros e, finalmente, espalhar uma loção ou gel pós-barba, que tem a função de acalmar a pele. Cuidados assim, embora simples, evitam muita foliculite, pelos encravados e irritações.

Um problema que se torna mais frequente nos tempos atuais é a alopecia areata, as famosas falhas, quando os pelos deixam de crescer em algumas áreas onde, antes, havia barba. Em casos assim, o dermatologista precisa pedir exames para afastar a suspeita de doenças, como o diabetes, que levam a esse quadro. Mas eu garanto que na maioria das vezes a causa dessa alopecia é uma só: o estresse. Quando a saúde mental retoma o equilíbrio, a barba volta a ficar cheia.

Minha Dica

Um cuidado é essencial, não importando o método escolhido: antes de depilar-se, para diminuir qualquer risco de infecção do folículo piloso, desencadeando uma foliculite, você deve deixar a pele bem limpa. Eu até recomendo que tome um banho caprichado antes.

Existem pessoas que apresentam uma tendência maior à inflamação dos folículos, que infeccionam por qualquer motivo. Para elas, receito um creme com antibiótico, que deve ser usado imediatamente após a depilação.

Já os pelos encravados, outro problema possível de surgir, em geral são aqueles que não tiveram força suficiente para atravessar a superfície da pele, devido a uma camada mais espessa de queratina. Um jeito de evitar que um ou outro fio fique assim é programar uma esfoliação uns dois dias antes de se depilar. Ela pode ser feita no banho, com uma mistura de mel e açúcar cristal. Mas, se mesmo assim algum pelo encravar, resista à ideia de espremê-lo como se fosse um cravo ou tentar tirá-lo na marra com uma pinça. Além do risco de infecionar, as cutucadas deixam o local vulnerável à radiação solar e podem surgir manchas.

Pelo mesmo motivo, não vá à praia nem à piscina por dois dias, a não ser que tenha usado lâmina. Nos outros métodos, a pele depilada tende a ficar mais sensível ao sol nessas 48 horas. Mas, se for inevitável, passe um filtro com alta proteção, reaplicando-o com maior frequência.

26

Primeiros socorros

Claro que, diante de qualquer problema na pele, sempre é melhor marcar uma consulta com o dermatologista e, em alguns casos, será necessário correr ao pronto-socorro. Mas gostaria de compartilhar como você deve proceder em algumas situações comuns, ao menos para não meter os pés pelas mãos e fazer algo que poderá causar mais transtornos depois.

Bolha – Na dúvida ou se sente desconforto, nem toque nela. Costumo dizer que a bolha é um curativo biológico de primeiríssima qualidade. Portanto, nunca a destrua. Ela não surgiu à toa. Você pode até furá-la para evitar que o excesso de líquido em seu interior infeccione. Mas, se realmente quer fazer isso, que seja da maneira correta: precisa ser um furinho mínimo em cada um de dois lados opostos, com uma agulha que seguramente esteja estéril, isto é, em embalagem lacrada, que nunca tenha sido usada antes.

Não use essa agulha para cutucar a bolha, nem faça mais furos do que esses dois. Tampouco corte a bolha, rasgue a pele ou caia na tentação de apertá-la para o líquido sair mais depressa pelos dois orifícios que acabou de criar. Deixe que ele escoe naturalmente por esse par de buraquinhos, tomando todo o cuidado para manter íntegra aquela pele que formou a bolha. Quando ela esvaziar, coloque um curativo adesivo por cima, trocando-o sempre até a completa cicatrização.

Farpa – O certo é tirá-la com uma agulha estéril e lacrada, isto é, que esteja sendo usada pela primeira vez. É preciso ter muito jeitinho para isso ou fatalmente irá cutucar demais a pele. E, se você acha que não vai conseguir, o melhor é ir ao médico.

Hematoma – É muito importante, ao dar uma batida e sentir que ali vai ficar roxo, aplicar compressas geladas nas primeiras 36 horas. Um detalhe: você deve usar gelo de maneira intermitente, isto é, deve colocá-lo por 5 minutos e depois descansar, no mínimo, outros dez, para então repetir o gelo. Repita a sequência algumas vezes de forma espaçada. Depois dessas primeiras 36 horas, ao contrário, aplique compressas mornas para dissolver o coágulo mais depressa. Lógico, você pode complementar o tratamento usando pomadas de arnica ou outras específicas para hematomas, indicadas pelo dermatologista. É sempre bom ter uma delas em casa, já que ninguém está livre de topadas.

Lesões de catapora e de outras infecções virais, além de picadas de inseto – O correto é nunca coçar por diversas razões, inclusive pela ameaça de herdar marcas como lembrança. Se o prurido estiver muito forte, tome um anti-histamínico. E, por cima das lesões, quando elas começarem a secar, polvilhe um talco mentolado, se for o caso – ele ajuda um pouco.

Machucados simples – Arranhou, raspou, fez um cortezinho bobo? Lave com água e sabão, fazendo sempre muita espuma. Não tenha medo de ensaboar. Sei que dói, o que incomoda especialmente criança, mas lave o machucado no maior capricho. Isso é melhor do que passar certos sprays antissépticos. Alguns são capazes, inclusive, de aumentar a fotossensibilidade. Na sequência da lavagem, passe uma pomada de antibiótico. Se for uma ferida mais aberta, cubra-a com gaze ou com curativo apropriado.

Pelo encravado – Geralmente, o pelo deve ser removido. Se não estiver infeccionado, passe uma pomada de antibiótico, como prevenção, e faça compressas mornas no local, mas nunca quentes demais. O calor ajudará a área a desinflamar e abrirá os poros, facilitando a saída do fio.

Queimadura – Lave muito bem toda a região queimada, antes de mais nada. Ela se infecciona com uma facilidade surpreendente. Faça essa limpeza com água limpa, fresca ou em temperatura ambiente. Nada de passar gelo por cima para aliviar o ardor! Em vez disso, se de fato estiver doendo muito, tome imediatamente um analgésico. E, se não tiver nenhuma pomada específica para queimadura em casa para aplicar na mesma hora, cubra a lesão com clara de ovo, batida em neve. Ela é proteína pura e, saiba, a pele requisita muita desta para reparar esse tipo de dano.

Uma alternativa é cobrir a área da queimadura com vaselina, mas aí para mantê-la bem hidratada, que é outro ponto importante na recuperação.

Se for uma queimadura mais grave, quando você até vê descolar a pele ou surgirem grandes bolhas quase no mesmo instante, a primeira coisa a fazer ainda assim será lavar tudo muito bem. Na sequência, porém, vá a um hospital. O curativo, em casos assim, precisará ser feito por um médico.

Queimaduras de sol – Para quem não tem alergia a esse remédio, eu oriento tomar um comprimido de ácido acetilsalicílico de seis em seis horas ou outro analgésico de sua preferência, no intervalo previsto na bula. E, claro, passar na pele, sem economia, bastante hidratante e reaplicá-lo de hora em hora no primeiro dia. O ideal é que, em casos de queimadura solar, ele tenha substâncias calmantes na composição, como aloe vera, camomila e chá verde.

Queimadura por água-viva, picadas de vespa ou de abelha – No caso da água-viva, saia do mar depressa e lave a região com água doce e sabão, se conseguir. Se estiver doendo muito, posso dizer que um velho truque funciona: faça xixi em um copo, reserve e jogue a sua própria urina por cima da área que encostou na água-viva. A amônia e a ureia presentes nesse líquido irão neutralizar a toxina. Será alívio imediato.

A mesma saída, embora pareça um tanto excêntrica, também neutraliza as toxinas da picada de abelha ou de vespa. Mas, nesse caso, você precisa tirar o ferrão antes com uma pinça. Passado o susto e a dor, lave mais uma vez a região que foi picada e espalhe uma pomada com antibiótico para evitar o risco de infecção.

Muita atenção: quando ensino o truque de jogar urina por cima de picadas de insetos com ferrão, estou falando em acabar instantaneamente com a dor. No entanto, se a pessoa tiver alergia a um desses insetos, o certo será tomar na hora um anti-histamínico para cortar a reação e, conforme a gravidade, correr para o hospital, evitando um choque anafilático. Jogar urina não funciona para alergias, preciso esclarecer.

27

Minhas receitas

As pessoas sempre associam uma pele bonita a cremes muito caros de grandes marcas ou até mesmo a fórmulas feitas em farmácias de manipulação – e existem, claro, cosméticos incríveis, não posso negar. No entanto, quem me conhece sabe que também acredito em algumas receitas caseiras, todas testadas e aprovadas no meu consultório ao longo da minha longa carreira como dermatologista. Além de indicá-las aos pacientes, eu também as preparo em casa, usando-as em momentos do meu fim de semana que dedico ao autocuidado, geralmente aos domingos.

Aqui, como uma maneira de agradecer a sua leitura atenta, esperando que este livro tenha sensibilizado você a cuidar mais da pele, compartilho as minhas receitas favoritas. Alguns ingredientes mencionados podem ser encontrados em farmácias de manipulação ou em lojas de produtos naturais. E garanto que todas essas receitas funcionam. Você irá se surpreender.

Máscara para prevenir o envelhecimento precoce
Indicada para peles mistas ou secas

- 1 colher de sopa de glicerina sólida (se não encontrar, use a líquida)
- 1 colher de sopa de água de rosas
- 1 e 1/2 colher de sopa de água de hamamélis
- 3 colheres de sopa de mel puro

Bata tudo até formar uma pasta homogênea. Espalhe no rosto, massageando com suavidade. Então, aproveite para relaxar, deixando agir por 30 minutos. Remova com água fria. Você pode aplicar essa máscara semanalmente.

Máscara hidratante de uva
Para peles com sinais de ressecamento

- 1 xícara de chá de uvas frescas, com casca, muito bem lavadas
- 1 xícara de chá de água filtrada
- 1 colher de sopa de óleo de semente de uva
- 1 colher de sopa de aveia

Ferva a água. Acrescente as uvas e deixe que cozinhem por 5 minutos na fervura. Retire do fogo e amasse bem as frutas até obter um suco. Coe e espere ficar morno. Junte então o óleo de semente de uva e a aveia. Passe no rosto limpo com a ajuda de um pincel. Deixe agir por 30 minutos e, daí, enxágue com água morna, quase fria. Pode repetir essa máscara sempre que sentir que a pele está esbranquiçada, áspera e sem viço.

Máscara para diminuir a aparência envelhecida

Indicada para quem tem uma festa, porque estica a pele temporariamente

- 1 clara batida em neve
- 5 gotas de óleo essencial de lavanda
- 5 gotas de óleo de rosa-mosqueta

Misture a clara em neve com os dois óleos e esparrame sobre o rosto limpo. Espere secar bem. Então enxágue. Não se preocupe, porque não fica com cheiro de ovo, graças ao óleo de lavanda.

Máscara para diminuir a oleosidade

Indicada para peles mistas, oleosas ou com acne

- 1 colher de sopa de fubá
- 1 colher de sopa de água filtrada
- 3 gotas de própolis

Misture tudo e aplique no rosto bem limpo. Espere a mistura secar. Então, pegue um pedaço de gaze ou de algodão ligeiramente umedecido com água e vá retirando a máscara com movimentos circulares. Por fim, lave o rosto com um sabonete apropriado e, se possível, borrife água termal na finalização.

Máscara para aliviar a acne

Indicada para peles mistas, oleosas ou com espinhas

- 1/2 xícara de água filtrada
- 5 pétalas de rosa branca (de preferência, rosas de jardim ou de farmácias de manipulação, evitando aquelas de floricultura que podem ter sido cultivadas com substâncias tóxicas)
- 3 gotas de própolis
- 1 colher de sopa de argila rosa

Ferva a água e desligue o fogo. Coloque então as pétalas de rosas, abafando por 10 minutos. Coe e espere esfriar. Bata essa infusão com o própolis e a argila rosa até formar uma pasta que deve ser espalhada no rosto limpo. Aguarde 30 minutos para retirar tudo com água fria ou o tempo necessário para a argila rosa, que é secativa, endurecer.

Máscara para acalmar

Indicada para peles opacas, aparentando cansaço

- 1/2 xícara de chá de infusão de flores de camomila, preparada previamente e já fria
- 1 colher de sopa de aveia
- 1 ampola de vitamina A, que você encontra em farmácias
- 1 ampola de vitamina D, vendida em farmácias

E para enxaguar depois:
- 1 litro de água filtrada
- 1 colher de sopa de bicarbonato de sódio

Misture todos os ingredientes da máscara até obter um creme. Aplique na face limpa, deixando agir por 30 minutos. Por fim, lave o rosto com a solução de bicarbonato.

Infusão para fechar os poros

Indicada para peles mistas, oleosas ou com acne

- 1/2 xícara de chá de folhas de sálvia, de preferência compradas em farmácias de fitoterapia ou em lojas de produtos naturais, para garantir que não tenham agrotóxicos
- 225 mililitros de água filtrada

Leve a água ao fogo. Quando ela levantar fervura, junte as folhas de sálvia. Apague a chama, abafe e deixe em infusão por 10 minutos. Coe e espere esfriar. Coloque então a infusão em uma garrafa bem limpa e com tampa. Leve-a em seguida à geladeira. Lave o rosto de manhã e à noite com essa infusão bem gelada. Pode fazer lavagens extras ao longo do dia se sentir que a pele está muito oleosa – no verão, por exemplo.

Máscara para fechar os poros

Indicada para peles mistas, oleosas ou com acne

- 1 xícara de água filtrada
- 1 colher de sopa de flores de camomila
- 6 folhas de hortelã
- 1 colher de café de bicarbonato
- 1 colher de sopa de argila rosa

Leve a água ao fogo. Quando ferver, junte a camomila e a hortelã. Apague a chama, abafe e deixe em infusão por 10 minutos. Coe e espere esfriar. Misture então esse líquido com a argila e o bicarbonato, derramando-o aos poucos até obter uma pasta. Passe essa máscara na pele limpa, deixando-a secar bem no rosto, para, depois, tirá-la com água fria.

Máscara para clarear sardas

Indicada para qualquer tipo de pele acima de 25 anos que já apresente sinais de fotoenvelhecimento

- 1 pepino
- 1 colher de chá de azeite de oliva
- 1 colher de sopa de aveia
- 1 colher de sopa de amido de milho

Descasque o pepino e passe-o na centrífuga ou bata descascado no liquidificador só com um pouquinho de água filtrada. Coe e reserve 1 xícara de café desse suco, que é a medida de que você irá precisar. Em um recipiente, misture-o com os demais ingredientes, até obter um creme macio. Espalhe-o com um pincel no rosto limpo e, se possível, durma com essa máscara. Lave a pele no dia seguinte com água fria. A aplicação deve ser repetida uma vez por semana.

Água pós-sol

Indicada para acalmar e hidratar a pele após a exposição solar

- 1 coco verde
- 1 colher de café de óleo de lavanda
- 3 folhas de hortelã

Reserve a água de coco da própria fruta, não use as industrializadas. Coloque-a no liquidificador com a hortelã e o óleo de lavanda. Bata bem e transfira para um borrifador, que deve ficar na geladeira. Borrife a pele várias vezes ao dia com esse líquido. Essa receita dura 24 horas refrigerada.

Para evitar o excesso de suor

Aqui é uma dica simples, especialmente quando as pessoas se sentem incomodadas com o odor

▶ 1 colher de sopa de leite de magnésia, aproximadamente

Lave bem as axilas antes de dormir e passe o leite de magnésia em seguida. Ele é um potente desodorizador.

Para evitar assaduras e diminuir ressecamento vaginal

Outra dica simples, que usei nos meus próprios filhos quando eram pequenos. Eles nunca usaram pomada para assaduras. E a mesma dica vale para pessoas idosas que estão apresentando o problema de assaduras e para mulheres na pós-menopausa com ressecamento da mucosa vaginal

▶ Amido de milho

Higienize o bumbum da criança na troca de fralda usando um algodão com água e, na sequência, simplesmente polvilhe o amido de milho. Para pessoas idosas, indico que tomem banho, sequem bem a região e polvilhem o amido também. No caso da secura vaginal, após o banho, polvilhar a parte externa dos genitais antes de dormir – o amido de milho funciona como um hidratante.

Para atenuar rachaduras nos pés

Para quem está com o calcanhar muito grosso

- 1 a 2 litros de água morna
- 1/2 copo de vinagre de vinho branco ou tinto

Derrame a água e o vinagre em uma bacia e faça um escalda-pés. O vinagre com o tempo irá melhorar a queratinização, o acúmulo de queratina que deixa o calcanhar grosso. Passados 15 minutos, seque bem os pés e espalhe um hidratante – pode ser até vaselina. Repita esse escalda-pés pelo menos uma vez por semana.

Máscara para hidratar os cabelos

Para deixar os fios mais fortes e hidratados

- 1 folha grande de babosa
- 1 ovo inteiro
- 2 colheres de sopa de aveia
- 1 colher de sopa de óleo de coco ou de óleo de argan

Raspe a gosma do interior da folha de babosa. Misture-a com os outros ingredientes, batendo tudo no liquidificador. Lave os cabelos com xampu, sem passar o condicionador. Então, faça uma boa massagem nos fios usando essa máscara. Em seguida, vista uma touca e deixe-a agir por quatro horas. Depois, lave os cabelos novamente com xampu. Nem vai precisar de condicionador, mas, se quiser usá-lo, passe um pouco só nas pontinhas dos fios.

AGRADECIMENTOS

A Mateos, meu marido amado, que sempre me incentiva, me apoia física e emocionalmente, dando suporte e coragem. Sem ele não chegaria aonde cheguei.

Te amo infinito!

Aos meus três filhos, Catarina, Antônio e Francisco, razão da minha existência. Que sempre me estimulam a ser uma pessoa melhor e me ajudam no meu crescimento emocional e espiritual. Sentem a minha ausência algumas vezes, mas entendem e me confortam dizendo: "Você é a melhor mãe do mundo".

Amo vocês infinito também!

A Deus e à Nossa Senhora, que sempre me guiam e iluminam. Todos os dias.

À minha amiga Lúcia Helena, que sempre acreditou em mim e que sem ela não teria escrito mais este livro.

À minha equipe de colaboradores na clínica, porque sem ela não seria nada.

E aos pacientes, claro, o meu muito obrigada!

Juntos é que somos melhores e mais fortes.

**Acreditamos
nos livros**

Este livro foi composto em Source Serif 4
e impresso pela Geográfica para a Editora
Planeta do Brasil em abril de 2022.